千年守望 無言傳說

中國南朝陵墓石刻

三十三處南朝陵墓石刻的故事

龐輝

iCultures Publications ┃ 美國文化橋出版社

書名:《中國南朝陵墓石刻》

作者: 龐輝

翻譯: 陳靜

編輯 / 設計: 李豈

審校: 洪春福

書號: ISBN: 979-8-9871353-3-4

尺寸: 186 X260mm(7.32 inches x 10.24 inches)

出版商: 美國文化橋出版社

地址: 3769 Peralta Blvd. Ste I,Fremont, CA 94536

網址: www.eastwestart.org / www.icultures.org

出品: 美國看東方藝術文化交流中心

统籌: 郇桓

總策劃: 龐雲星

目録

目
録

目
録

千年守望 無言傳說

中國南朝陵墓石刻 - 三十三處南朝陵墓石刻的故事

作者 龐輝

公元 386 年，中國。北魏開國皇帝拓跋珪在賀蘭部為首的諸部支持下，在牛川（今內蒙古錫拉木林河）召開了部落大會，宣布即位代王，建立了年號"登國"，標誌著北朝的開始。公元 419 年，中國東晉將領劉裕派人縊殺晉安帝，建立了劉宋。這一年，他 56 歲，為南朝的開端。

從公元 386 年到 581 年近 200 年間，中國北朝經歷了北魏、東魏、北齊三個朝代，南方歷經宋、齊、梁、陳四個共一百六十多年的朝代輪換，被合稱為南朝；至此，形成了中國歷史上的南北對峙時期，史稱為南北朝。

南北朝時期是中國歷史上一個充滿動蕩、多事之時，也是文化繁榮的時代。南朝陵墓石刻作為這個時期獨特的藝術遺產，具有極其重要的歷史、文化和藝術價值，它不僅是南朝皇帝和王侯陵墓神道的一部分，更是中國雕塑史和世界雕塑藝術史上的珍貴遺產。

南朝陵墓石刻是南朝皇帝和王侯墓前的神道石刻，這些具有悠久歷史的南朝陵墓石刻統稱為六朝石刻。「六朝」這個名字是從公元 420 年開始計算，前推 200 年，即自三國時期的孫吳，一直到東晉，再加上南朝的宋、齊、梁、陳四個朝代，都在南京建都，因此史稱中國南京為「六朝古都」。六朝時期科學、技術、思想、藝術諸領域皆取得輝煌成就，漢末戰亂里瀕於毀滅的漢文化傳統得以保存和發展，開創了風姿綽約、意義深遠的六朝文化。

最早記載南朝陵墓石刻的文獻可以追溯到公元 1877 年清朝同治年

間莫友芝的《金石筆談》，其中只記載了 8 處石刻。到了公元 1911 年清朝宣統末年，張璜的《梁代陵墓考》中則記載了 14 處石刻。1934 年，朱希祖和朱偰父子等學者進行調查，共找到 28 處石刻。此後，從 1949 年以來的考古調查，總共發現 33 處南朝陵墓石刻：南京 21 處、句容 1 處、丹陽 11 處。如果把丹陽的陵口石刻算上，就是 34 處。陵口石刻顧名思義，就是陵園門口的石刻。

這些石刻具有壯麗的體型、精湛的雕刻工藝、氣勢恢宏的氛圍以及古樸靈動的特點，它們兩兩相對、對稱列置，互相陪伴著經歷了千百年的風雨洗禮。其中一些石刻備受矚目，如宋武帝劉裕初寧陵石刻（NO.1）、齊宣帝蕭承之永安陵石刻（NO.2）、齊武帝蕭賾景安陵石刻（NO.3）、齊景帝蕭道生修安陵石刻（NO.4）、齊明帝蕭鸞興安陵石刻（NO.5）、梁文帝蕭順之建陵石刻（NO.9）、梁武帝蕭衍修陵石刻（NO.10）、梁簡文帝蕭綱莊陵石刻（No.11）、陳武帝陳霸先萬安陵石刻（NO.22）、陳文帝陳蒨永寧陵石刻（NO.23）、蕭宏墓石刻（NO13）、蕭秀墓石刻（NO.14）、蕭恢墓石刻（NO.16）、蕭憺墓石刻（NO.17）、蕭融墓石刻（NO.12）、蕭績墓石刻（NO.19）、蕭景墓石刻（NO.18）、蕭正立墓石刻（NO.21）。此外，一些失考的墓石刻也有很多典故和猜測。

中國著名考古學家朱偰父子考證，南朝王陵都是成群成片排列。在南京，有憑有據確認的陵墓有 10 處，其中 8 處在南京棲霞山，另外兩處分別在江寧區和句容市。南京棲霞山的墓葬群，是南梁蕭氏家族的兄弟群，現發現的確認墓主，都是南梁武帝蕭衍的兄弟，有 5 弟蕭融、6 弟蕭宏、7 弟蕭秀、8 弟蕭偉、9 弟蕭恢、10 弟蕭憺、表弟蕭景、還有蕭憺兒子蕭暎。江寧安葬的是蕭宏的兒子蕭正立，梁武帝蕭衍的四兒子蕭績，安葬在南京後花園句容的一處地面開闊、山清水秀之地。

在所有墓陵石刻裡面，最著名的初寧陵，是南北朝時期宋朝的建立者宋武帝劉裕之墓。在稱帝三年後，這位中國歷史上傑出的政治家、軍事家、統帥，不幸因病去世，時年 60 歲。公元 422 年 7 月，葬於"丹陽建康縣蔣山初寧陵"（《宋書·武帝紀》），謚曰"武皇帝"，廟號"高祖"。蔣山就是現在的紫金山。

關於劉裕初寧陵的位置，唐代許嵩在其所著《建康實錄》卷十一載："葬丹陽建康縣蔣山初寧陵，在縣東北二十裡，周圍三十五步，高一丈四尺。"李吉甫《元和郡縣誌》卷二十六"宋武帝劉裕初寧陵，在縣上元東北二十二裡，蔣山東南。"張敦頤《六朝事跡編類》卷十三《墳陵門》"在縣（江寧）東北二十裡，政和間，有人於蔣廟側得一石柱，題雲：初寧陵西北隅。"以此考之，其墳當離蔣廟不遠。

根據這些記載，民國學者朱希祖在 1935 年出版的《六朝陵墓調查報告》中認為，今南京麒麟門外的麒麟鋪有兩尊南朝時期陵前石獸，而這兩尊石獸則正是劉裕初寧陵的神道石刻。此後，包括《建康蘭陵六朝陵墓圖考》、《金陵古跡圖考》、《南京史話》、《南朝陵墓石刻》等在內的各種論著都沿襲了這個說法。目前宋武帝是現有發現最早的南朝墓陵石刻，僅存的一對石獸已經有 1600 年歷史。

南齊王朝的祖墳及帝王陵都在丹陽東北部的經山一帶，周圍分佈著 6 處南朝陵墓石刻，目前學術界公認這些陵墓石刻為南朝蕭齊帝王陵墓前陳列物。由於蕭齊一朝國祚短促，帝位更迭頻繁，故其陵墓分佈情況較為複雜且墓主不甚明確。1965 年至 1968 年，南京博物院先後在丹陽胡橋和建山公社清理了 3 座南齊時期的大型磚室墓，均被認定為帝陵，丹陽南齊帝陵相較於位於丹陽三城巷蕭梁帝陵以右為尊"一"字排開的排葬方式則更為複雜，其中位於前艾田家村的南齊景安陵尤為特別，值得研究。景安陵是南齊武帝蕭賾陵墓，遠離南齊帝陵較為集中的經山，在丹陽東邊。蕭賾為高帝蕭道成之子，在位 12 年。蕭賾臨終時有言："陵墓萬世所宅，意嘗恨休安陵未稱，今可用東三處地最東邊以葬我，名為景安陵。"景安陵石刻在已發現的南朝帝陵石刻中，居於最東邊的。

南朝蕭齊蕭梁兩代帝王陵區絕大部分位於丹陽，至今陵墓的山形地勢及墓前風水塘仍保存完好。在丹陽的墓群，最著名的是在三城巷的"蕭梁帝王陵"。有學者考證，三城巷失名陵的墓主是梁武帝蕭衍的祖父、蕭順之之父蕭道賜，而現存石刻完成於大同十年（公元 544 年）梁武帝謁陵之後，這一推測與南朝尊者居右的葬俗相符（蕭道賜、蕭順之、蕭衍、蕭綱四代人從右向左依次排列），雖然史書中沒有追尊蕭道賜為帝的記載，但仍不失為目前最可信的一種觀點。

經過千百年的滄海桑田，南朝的建築早已幾乎全部消失，甚至連皇陵都被夷為平地，只有陵前的石獸默默守望著，見證著雲卷雲舒。

"弓劍神靈定何處，年年春綠上麒麟。"（唐朝詩人李商隱詩）

南朝陵墓石刻由石獸、石柱和石碑三部分組成。帝後和王侯墓前所列石刻略有差別。按照六朝帝王陵的制度，帝後墓前石獸均帶角，有雙角和單角之分，稱為天祿（鹿）或麒麟，紋飾較為繁復華麗；王侯墓前的石獸無角，紋飾簡單，稱為辟邪。石柱又名華錶、錶、錶木、標等，起到標明、指示的作用。石碑的碑首呈圓形，側面浮雕交互纏繞的雙龍紋，額上有圓孔；碑身正面刻有碑文，四周裝飾卷草紋等圖案；碑座呈龜趺狀，狀如引頸爬行。此外，還有一種石座，僅見於梁文帝蕭順之建陵，位於石獸與石柱之間，隔神道對稱分佈。這種石座由四塊方形大石構成，四個石塊分據四角，形成一個圍城的正方形。每塊石頭表面各鑿有兩個"T"形凹槽，相鄰兩塊石頭的"T"形凹槽中的豎槽相對。

天祿、辟邪大致來於西域，輾轉傳聞，加以神話想象，遂成六朝陵墓之石獸。將天祿、辟邪以石琢而置於墓前，在漢代就有。宋代歐陽修的《集古錄跋尾》中說：漢"天祿辟邪"四字，在宗資墓前石獸膊上。

關於天祿和麒麟的說法，考古專家也有分歧，朱希祖考證認為，一角為天祿、兩角辟邪，麒麟、獅子都是俗稱。朱先生長公子朱偰先生卻有不同意見，他在《建康蘭陵六朝陵墓圖考》一書中提出："一角為麟，雙角曰天祿，無角曰辟邪，或去事實不遠。蓋'獨角為麟，獸之仁者'原為傳說神話中之動物，未可與桃拔相混也"。日本學者曾佈川寬在《六朝帝陵》中則認為，南朝帝陵的石獸應當稱為"麒麟"，是一種鎮墓獸，與之作用相同的是王侯墓前的"石獅子"，唐人將其改稱為"辟邪"，而麒麟的形象在唐代則發生了很大的變化。不過，曾佈川寬在他的著作中，還是最經常謹慎地使用"石獸"這個名詞。（本書為方便閱讀起見，採取朱偰先生的說法：麒麟為獨角，天祿為雙角，辟邪為無角。）

南朝陵墓石刻和墓葬是一個整體，石刻均有與之對應的墓葬。選擇墓地時十分註重"風水"，多選擇背山面水、兩側山隴延伸的緩坡地帶營建墓葬。六朝陵基，大多在大道旁，低濕之地，與後世依山築墳不一樣，觀念完全相反。此點與古代希臘、羅馬的建築陵墓大道 (Griaberstrassen)（例如雅典 Pompeji，羅馬 ViaAppia) 頗為相似；在南京附近之陵墓，如蕭景、蕭憺、蕭恢、蕭秀皆在由金陵至棲霞山的大道上，蕭正立、陳武帝皆在由金陵至湖熟的大道上，宋武帝陵則在至句容的道上。陵墓大多聚在一起，自成一組，各自體繫，如蕭齊、蕭梁諸陵，皆在丹陽；蕭秀、蕭恢、蕭憺兄弟及蕭景、蕭暎墓，皆在棲霞山堯化門之間，蕭正立及其他三個失名墓基，都在淳化鎮附近。

六朝陵寢，皆前列二麒麟（左者往往雙角，右者往往獨角），肘聚膊焰，騰驤欲飛。至於諸王墓，則不得用麒麟，往往前列辟邪，以此區別等級。

　　墓制：前列石獸，左右對立，後為墓闕，再後則為碑碣。惟梁安成王蕭秀墓，獨有四碑：前為石獸一雙，後則二碑東西相向，再後為墓闕一對，最後為碑一對。其墓闕往往右鐫正文，左鐫反文；或左鐫右行文，右鐫左行文（如蕭績墓）。

　　陵墓之大小，史籍間有記載。如《建康實錄》所載：

　　晉穆帝永平陵　周圍四十步，高一丈六尺；

　　宋武帝初寧陵　周圍三十五步，高一丈四尺；

　　宋文帝長寧陵　周圍三十五步，高一丈八尺；

　　陳武帝萬安陵　周圍六十步，高二丈；

　　陳文帝永寧陵　周圍四十五步，高一丈九尺。

其範圍皆不甚小，其所謂高，蓋指封陵土山之高度。其諸王墓中，尤以蕭宏、蕭正立墓，範圍最大。墓葬的營建過程大致為：選擇墓地，平整坡面，開挖墓坑，建造磚室，將死者安葬其中，封閉門窗，填埋土封，然後安放石刻。

　　陵墓雕刻基本涵蓋兩大類，一者為“石象生”，指放置在陵墓神道兩側的石人、石獸組成的儀衛，石象生又稱之為“翁仲”，一般置於帝陵的石人雕刻，形象多為文武官員，以此象徵文武百官，是帝王陵墓供祭儀物的重要組成部分。這在唐朝封演的《封氏聞見記》一書中有著相關記載：“秦漢以來，帝王陵前有石麒麟、石辟邪、石象、石馬之屬，皆所以銤飾墳壟，如生前之儀衛耳。”

　　二者便是陵墓建築構件，如墓闕、華表、享堂、墓道、墓門等裝飾性雕刻。石獸便多以"虎、獅、象、麒麟、天祿、辟邪"等造型意象進行雕刻表現。除帝王陵外，貴族、官僚等其他人的墓也可用石象生，只是在規格上根據墓主人的身份地位，有嚴格區別。

　　南朝石刻的藝術特色體現了當時歷史、文化、地域和時代的獨特性。南朝石獸的藝術風格由秦漢的古拙質樸向成熟恢宏的隋唐風格轉變，亦是整個魏晉南北朝時期處於轉折過渡階段的印證，其獨具魅力的審美意象和匠心獨運的藝術表達更是表現出當時思想與文化的自由和廣闊。它上承春秋戰國與秦漢，下啟隋唐，既有北方的雄渾剛健，又有江南的靈動秀麗，是漢民族造像藝術的美麗升華，是本土文化的絢爛綻放，藝術上有著極高成就，並且具有濃郁的地方特色和時代精神。

• 審美風格的演變：南朝石刻的藝術風格經歷了演變，從秦漢時期的古拙質樸向成熟恢宏的隋唐風格過渡。這種轉變是南朝時期思想和文化發展的反映，也反映了中國雕塑藝術的進步。南朝石刻不僅延續了秦漢時期的傳統，還在藝術上創造出新的表達方式。

• 自由和廣闊的思想與文化：南朝時期被認為是一個充滿自由和廣闊思想的時代。這種思想氛圍在南朝石刻中有所體現，藝術家們展現了更加豐富和大膽的創作。他們不僅受到傳統文化的影響，還融入了新的思想元素，使南朝石刻充滿了創新和活力。

• 融合多元文化元素：南朝石刻匯聚了多個時期和地域的文化元素。它上承自春秋戰國和秦漢時期的傳統，下啟隋唐的風格，同時融入了南方江南地區的靈動秀麗之美。這種多元文化的融合賦予了南朝石刻更加豐富的內涵。

• 雄渾與靈動的結合：南朝石刻的藝術風格既有北方的雄渾剛健，又有江南的靈動秀麗。石刻中的石獸和其他雕刻作品，既具備莊重和雄壯的特點，也充滿著優雅和靈氣。這種風格的融合使南朝石刻具有獨特的審美吸引力。

• 地方特色和時代精神：南朝石刻在形式和題材上反映了當時南方地域的特色，同時也傳達了南朝時期的時代精神。這些石刻作品承載了南朝時期政治、社會和文化的背景，因此具有濃郁的地方特色和時代性。

著名考古學家朱偰在他的《建康蘭陵六朝陵墓圖考》一書中，用詩歌詠頌千年石刻：殘碑沐雨，石獸嘶風，徘徊憑吊，不勝興亡盛衰之感。然而雕刻之精美，氣魄之偉大，雖已叢殘不全，然較之明代陵疫，實不可同日而語。

《吊六朝諸陵詩》
建康陵墓盡殘叢，石獸蒼涼夕照中。
斷碼飄零三國雨，銅駝慘淡六朝風。
神州河朔悲變亂，南部江山苦戰攻。
最是西京俱泯滅，不堪回首舊金墉。

中國現代美學的先行者和開拓者宗白華先生評述魏晉南北朝時期："是精神上極自由、極解放、最富於想象力、最濃於熱情的一個時代。因此也就是最富有藝術精神的一個時代……無不是萬丈光芒，前無古人，奠定了後代文學藝術的根基與趨向……"。

中國建築史學家梁思成先生在《中國雕塑史》中曾這般描述南朝石獸："在此謹言之中，乃露出一種剛強極大之力，其彎曲之腰，短捷之翼，長美之須，皆足以表之。"

南京藝術學院教授、美術史論家林樹中先生對南朝四個時期的石獸型制紋飾等進行論述："宋以南京麒麟輔武帝初寧陵一對石麒麟為典型。造型上獸身平正、頸短而直，鼻與朵頤短，腿亦略短而直，紋飾也較簡樸，這是初創時期的特點，但前後左腳均向前跨，不是四肢直挺站立，感到向前行進而有豪邁生氣。

南京大學教授、中國藝術研究院中國雕塑院院長吳為山先生以"辟邪"為代表進行由點及面的概述，將南朝陵墓石刻的藝術風格稱之為"帝陵程式誇張風"。

南朝陵墓石刻的藝術風格以其高大的石獸和誇張的內蘊力量而著稱，反映了南朝時期的思想和文化。石獸造型高大，內蘊力量誇張，從那些石刻瑞獸身上所感受到的不是動物的氣勢，而是一種人文的精神和思想的張力。它們是用堅硬冰冷的石頭塑造藝術生命，有血有肉、鮮活精妙，仿佛脈搏都在跳動，表現出一種壓倒一切的氣勢，石獸採用立體圓雕手法，被雕刻成"麒麟"（騏驎）、"天祿"、"辟邪"等瑞獸，高聳挺拔，造型各異，風格上承漢晉，下啟隋唐，氣韻生動，充滿莊重而神秘的色彩，具有無盡生機和想象力，它代表了中國南朝時期雕塑藝術的巔峰，反映了當時的文化和思想風貌。這些石刻的藝術風格和審美特點對後代的雕塑藝術產生了深遠的影響。南朝石刻以其多元的文化傳統、審美創新和豐富的內涵，成為中國雕塑藝術史上的珍貴遺產。它反映了中國南朝時期的獨特文化和時代特點，同時也在國際雕塑藝術史上佔有重要地位，彰顯了中國古代雕塑的美麗升華和本土文化的絢爛綻放。

南朝故事之一·刀光血影的劉宋家族

劉宋

公元 420 年 -479 年

共 59 年，歷 9 帝，建都建康

序號	皇帝	在位年數	在位時間	備註
1 高祖武皇帝	劉裕	2	420-422	迫使晉恭敬恭帝禪（shàn）位
2 少帝	劉義符	2	422-424	被大臣徐羨之廢殺
3 文皇帝	劉義隆	30	424-453	被太子劉劭弒殺
4 元兇	劉劭	3 个月	453 年	殺父自立，被劉駿斬
5 孝武皇帝	劉駿	11	453-464	去世
6 前廢帝	劉子業	1	464-465	亂倫親姐姐，被劉彧殺
7 明皇帝	劉彧	7	465-472	去世
8 後廢帝	劉昱	5	472-477	被侍衛楊玉夫弒殺
9 宋順帝	劉準	2	477-479	禪（shàn）位蕭道成

千古江山，英雄無覓，孫仲謀處。

舞榭歌臺，風流總被，雨打風吹去。

斜陽草樹，尋常巷陌，人道寄奴曾住。

想當年，金戈鐵馬，氣吞萬里如虎。

元嘉草草，封狼居胥，贏得倉皇北顧。

四十三年，望中猶記，烽火揚州路。

可堪回首，佛貍祠下，一片神鴉社鼓。

憑誰問：廉頗老矣，尚能飯否？

—— 辛棄疾 《永遇樂　京口北固亭懷》

白話譯文

江山千古依舊，割據的英雄孫仲謀，卻已無處尋覓。無論繁華的舞榭歌臺，還是英雄的流風余韻，總被無情風雨吹打而去。那斜陽中望見的草樹，那普通百姓的街巷，人們說寄奴曾經居住。遙想當年，他指揮著強勁精良的兵馬，氣吞驕虜一如猛虎。

元嘉帝多麼輕率魯莽，想建立不朽戰功，卻落得倉皇逃命，北望追兵淚下無數。還記得四十三年前，我戰鬥在硝煙彌漫的揚州路。真是不堪回首，拓跋燾的行宮下，神鴉叫聲應和著喧鬧的社鼓。有誰會來尋問，廉頗將軍年紀已老，他的身體是否強健如故？

這是南宋詞人辛棄疾創作的一首詞。上片贊揚了在京口建立霸業的孫權和率軍北伐氣吞胡虜的劉裕，表示要像他們一樣金戈鐵馬為國立功。下片借諷刺劉義隆來表明自己堅決主張抗金但反對冒進誤國的立場和態度。

這里“寄奴”就是南宋開國皇帝劉裕。劉裕是白手起家的寒門子弟（有學者稱為“次等士族”），其祖上於永嘉南渡後遷居京口。小名叫“寄奴”，一聽就知道過的是苦日子，他淪落到賣草鞋為生的地步，還迷上一種叫“樗蒲”的賭博，又窮又混賬，他自己也覺得不能再混下去了，就跑去東晉最厲害的軍隊北府軍當兵，“金戈鐵馬，氣吞萬里如虎。”說的就是劉裕在軍中徵戰，用命換來的頭功和威望。

劉裕長大後，“雄傑有大度”，身高七尺六寸，風骨奇偉，不拘小節，侍奉繼母蕭文壽以孝順聞名。出身瑯琊王氏的東晉朝廷高管王謐對劉裕頗為賞識，曾對他說：“你應當會成為一代英雄！”

劉裕繼母蕭文壽與蕭承之，即後來滅掉劉宋的南朝齊高帝蕭道成的父親，是同族宗親關繫。後來滅劉建齊國的蕭道成，因為父親與太後的同宗關繫而得到劉宋朝廷的重用，他的高升，也走了蕭太後的裙帶關繫。

劉宋的江山完全是劉裕打出來的。劉裕在東晉末期的亂世中趁勢崛起，先後平定孫恩、桓玄、劉毅、盧循、司馬休之等勢力，又滅桓楚、西蜀、南燕、後秦等國。不僅統一了中國南方，同時也收復了山東、河南、關中等地，最終代晉建宋，定都建康（今南京）。公元 420 年劉裕廢晉恭帝自立，建國號為宋，史稱劉宋，是為宋武帝。

劉宋是中國南北朝時代南朝的第一個朝代，也是南朝四個朝代中存在時間最久、疆域最大、國力最盛的王朝。共傳四世，歷經九帝，享國 60 年。因國君姓劉，為與後來趙匡胤建立的宋朝相區別，故又稱為劉宋。

可惜劉裕沒有做皇帝的好命，他的生命在無數次戰鬥中耗盡。公元 422 年，稱帝僅兩年的劉裕病逝，遺命太子劉義符繼位，並任命司空徐羨之、尚書僕射傅亮、領軍將軍謝晦及護軍將軍檀道濟四人為顧命大臣。據歷史記載，劉義符即位後居喪無禮，嬉戲無度不聽勸諫，對初建的劉宋王朝所面臨的內憂外患束手無策，四位顧命大臣對此深表憂慮。為了保住劉宋得之不易的江山社稷，大臣們經過商議，決定廢掉劉義符（不久被殺），擁立劉裕第三子劉義隆為皇帝，是為宋文帝。

文帝劉義隆在位的三十年間，鏟除強臣，使宗室掌管朝政大權，又同時任用士族和寒人共同參與朝政，使文帝一朝出現了宗室、士族、寒門相互制衡的平衡局面，在此基礎上文帝繼續實行武帝劉裕的休養生息的政策，使文帝一朝成為宋最繁榮的一段時期，這時南方的經濟、文化才真正有所發展。

就在南宋開始興旺之時，內鬥發生了。太子劉劭是宋文帝的嫡長子，可隨著太子的長大，父子之間在對外政策，治理國家方面產生分歧，文帝要出兵北伐，收復黃河流域，劉劭反對，公開指責主戰派，與主戰勢如水火。在主戰派將領的慫恿下，文帝產生廢儲想法。一般從歷史經驗教訓上來看，一旦廢儲，基本就會引發戰亂，國家面臨災難。

文帝喜歡七子、建平王劉宏，參與討論立新儲君的大臣江湛、徐湛之則各懷鬼胎，徐湛之想立皇六子、隨王劉誕，因為他的女兒是劉誕的王妃；江湛則想立皇四子、南平王劉鑠，因為劉鑠是他的妹夫。3人的意見不統一，爭論了很長時間，大臣王僧綽對宋文帝說：“建立之事，仰由聖懷。臣謂唯宜速斷，不可稽緩。當斷不斷，反受其亂。願以義割恩，略小不忍。不爾，便應坦懷如初，無煩疑論。”文帝把這話當耳邊風，他治理國家30年，很自信自己的控制力，結果陰溝里翻了船，公元453年凌晨，宋文帝跟徐湛之談了一夜立儲君的事情，這時，太子劉劭率人闖入，殺君弒父，自立為王。

劉劭的這一舉動導致眾叛親離，也給了其他兄弟可乘之機。宋文帝劉義隆的第三子、武陵王劉駿立馬起兵討伐，歷時三個月便攻入京城，劉劭被俘後遭處斬，並被劉駿稱為“元兇”，眾後妃、子女全部被處死，同時也順手斬了二哥劉濬。劉駿順利奪取皇位，為宋孝武帝。

宋孝武帝在位初期是一位頗有作為、積極改革制度的皇帝，“民戶繁育，將曩時一矣”。然而，到了晚年開始昏聵，他逐漸拋棄了先前的養兵簡政的作風，傲慢自滿，大興土木，擴建宮室，牆上和柱子上都用錦繡裝飾，又傾盡府藏，大行賞賜寵愛的妻妾和臣屬，更毀當年宋武帝劉裕所居密室，興建玉燭殿，給百姓增加了沉重的負擔。史書稱他晚年“終日酣飲，少有醒時”，這一變化導致了本來在他執政初期逐漸改善的劉宋，在他統治末期走向了衰敗。

公元464年，孝武帝病逝。太子劉子業繼位。劉子業是歷史上有名的亂倫暴君。他剛繼位，就下令賜死父親生前最愛的弟弟劉子鸞，逼得年僅十歲的孩子臨死前哀嘆：願身不復生在帝王家！劉子業殘暴荒淫，把自己的姑姑封為夫人，跟自己的親姐姐有染，是個不成器的廢物。他把自己的幾個叔叔關在宮中，防止他們叛亂，對他們肆意辱罵和拷打，導致這些叔叔們對劉子業恨之入骨，誓要除之而後快，這其中便有後來繼位的湘東王劉彧。

劉彧是孝武帝劉駿異母兄弟，劉駿即位這一年，劉彧的生母去世，年僅十五歲的劉彧由三哥孝武帝的生母路太后撫養。劉彧是個聰明的孩子，謙卑溫和而且非常好學，深得路太后的喜愛，憑著這層關繫劉彧也很得劉駿的信任，先後歷任秘書監、領軍將軍等職。劉彧重金收買劉子業身邊親信11人，里應外合發動政變，成功殺死侄子劉子業，自己做了宋明帝。但是各地劉氏宗室認為劉彧得位不正，不應該做皇帝，於是擁立孝武帝劉駿的第三個兒子劉子勛（劉子業的弟弟）為帝。是劉彧積極謀劃，任用賢能，廣納諫言，很快就平定了劉子勛，重新統一了劉宋王朝，但是這些內鬥迅速使劉宋王朝走向衰敗，給了外姓可乘之機，有道是：亂世出英雄，此時蕭道成開始崛起。

宋明帝劉彧在位前期還算賢明，很快就變得殘暴不堪，他自己無生育能力，便把妃子送到皇室宗親和大臣家里，生了兒子後抱走，再把妃子殺掉，短短幾年，劉彧有了11個兒子，個個不是親生，公元466年，劉彧立長子劉昱為太子，同時殺光自己的弟弟和他認為不利於太子的大臣，只留下他認為懦弱無能的弟弟劉休範，劉彧的這個做法，直接導致亡國，他自己34歲便黯然離世。

皇太子劉昱，母親是美若天仙的陳妙登，父親據說是劉彧的老師李道兒。

可能是不正常的家庭關繫導致劉昱兇狠殘暴，喜歡以殺人為樂，是歷史上年紀最小的暴君（10歲即位，14歲被殺）。沒當幾年皇帝，就因為太殘暴被自己部下殺死。

劉彧的三子劉准，母親是劉彧的妃子陳法蓉，父親是劉彧的弟弟劉休範，就是劉彧認為懦弱無能而留下的唯一弟弟。劉准是蕭道成的傀儡皇帝，沒幾年就被蕭道成逼迫禪讓，劉准本人和其他兄弟一起被蕭道成軟禁至死。

劉宋王朝一共九位皇帝，其中有兩位前、後廢帝，還有三位皇帝的名字讀音是相同的，他們分別是劉裕、劉彧和劉昱。光從名諱的角度上來說，這個劉宋王朝就逃不脫滅亡的命運。

#1 宋武帝劉裕初寧陵石刻

1936年版《建康蘭陵六朝陵墓圖考》右麒麟　　　　　　　圖片攝影：朱偰

麒麟　圖片攝影：龐輝

　　公元 420 年，南宋武皇帝劉裕代晉自立，定都"建康"（今南京），南朝石刻中，最早的就是宋武帝劉裕的初寧陵。永初三年（公元 422 年），劉裕計劃征伐北魏，尚未出師，便因病逝世，終年六十歲。廟號高祖，諡號武皇帝，葬於丹陽郡建康縣蔣山（今紫金山）東南的初寧陵。文獻記載，陵園規模較大，內有寢殿和陵廟建築，但是都已經毀於歷代戰火。

天祿头已残。身长 2.96 米，高 2.80 米，颈高（自头至脊）1.35 米，
体围 3.10 米。

初寧陵是劉裕和妻子的合葬陵。公元 408 年，臧愛親病逝於東城（今安徽定遠東南），時年四十八歲。劉裕對患難發妻的早逝非常痛心，當他稱帝之後，他追封已經辭世十二年的臧愛親為"敬皇后"，到死都不再設皇后。劉裕逝世時，念念不忘這位曾與他共患難的妻子，臨終時他留下遺詔，將臧愛親的棺木從丹徒迎至南京，與他合葬，稱初寧陵。

麒麟，四足已失，身长 3.18 米，残高 2.56 米，颈高 1.15 米，体围 3.21 米。

圖片攝影：龐輝

一般認為，初寧陵神道石像生位於南京市江寧區麒麟街道麒麟鋪社區馬路兩旁，被村捨包圍，旁邊住戶門牌號為10號。現有石麒麟、天祿各一。陵高15米，周圍42米。原來地面上的石獸，是在陵墓的右手，應該是一只麒麟，但是頭部已經殘缺，很難看出它是雙角還是獨角。半埋在土中的石麒麟，完全出土以後，昂首天邊，作向前邁進之狀，姿態更顯得雄偉；左邊的石獸，原來倒在池塘邊上，扶起後，除四腿下部已經殘缺外，尚比較完整，尤以頭部線條清楚，雕刻極為生動，頭上雙角，也極為明顯。這兩個石獸線條粗獷，體態凝重，顯然是六朝陵墓石刻初期的風格。

　　1935年，民國學者朱希祖出版了《六朝陵墓調查報告》，書中提及這對麒麟，稱是南朝劉宋開國皇帝劉裕初寧陵的神道石刻。1988年，南京的南朝石刻升格為全國重點文物保護單位時，這對麒麟被定為"初寧陵石刻"。按宋武帝劉裕死在公元422年，到現在已經有1600年的歷史了。

　　目前的考古發掘及研究資料上顯示，遺存至今天的南朝劉宋帝陵石刻，主要為遺存於南京麒麟鎮麒麟鋪宋武帝劉裕初寧陵的兩尊石獸。南朝劉宋帝陵前設置石獸，與南朝喪葬禮俗和陵墓規劃建制的變化有著不可分割的聯繫，可以佐證從南朝宋武帝劉裕時期，開始重新恢復陵前設置神道石刻的陵寢建制。

　　劉宋王朝只發現劉裕的初寧陵，其他王孫均不見蹤影，這和歷史上劉氏家族互相殘殺，窩里鬥有關。劉氏宗親基本都是死於非命，被自己家人殺死，因此也無葬身之地。

南朝故事之二 • 兄弟殘殺的蕭齊

南齊

公元 479 年 -502 年

共 23 年，歷 7 任皇帝，建都建康

序號	皇帝	在位年數	在位時間	備註
1 高帝	蕭道成	3 年	479-482	迫使宋順帝禪（shàn）位
2 武帝	蕭賾	11 年	482-493	去世
3 鬱林王	蕭昭業	1 年	493-494	被蕭鸞誅殺
4 海陵王	蕭昭文	4 個月	494-494	被蕭鸞廢黜
5 明帝	蕭鸞	4 年	494-498	病逝
6 東昏侯	蕭寶卷	3 年	498-501	被將軍王珍國所殺
7 和帝	蕭寶融	1 年	501-502	被迫禪（shàn）位於蕭衍

南齊王朝是個短命的王朝，總共 23 年，史稱南齊或蕭齊。

齊高帝蕭道成崇尚節儉，反對奢靡，並以身作則，將宮殿、禦用儀仗等凡用金、銅制作的器具全部用鐵器替代，衣服上的玉佩、掛飾等統統取消。高帝蕭道成在位時經常掛在嘴邊的一句話是"使我治天下十年，當使黃金與土同價"，可見他的提倡節儉與身體力行。齊高帝提倡節儉的政策減輕了人民的負擔。他也與北魏和好，維護邊境安定，這使得新生的南齊政權迅速走向軌道。

臨終前，他囑咐太子蕭賾（zé）：要警惕晉朝及宋朝皇室手足相殘的教訓，在治理國家，愛護同室兄弟方面要做好，國家政治穩定，經濟就會復蘇。結果就是歷史總是驚人相似，劉宋的悲劇繼續在蕭家重演，且變本加厲。

齊武帝蕭賾享受了父輩的庇護，為政寬紓，人民得到 10 多年休養生息的時機，促進了南方經濟的發展。齊武帝在位的十一年間帶動了經

濟文化的發展，社會較為安定，使百姓無雞鳴犬吠之驚，史稱永明之治。富不過三代，接下來的蕭氏子孫就開始公子哥荒淫無度的混亂生活，加快了蕭齊的滅亡。

齊武帝蕭賾的太子早逝，武帝將皇位傳給長孫蕭昭業，結果這個孫子不僅是個敗家子，而且品行極差。繼位一年，就敗光祖父和高祖勤儉節約留下的家產，五毒俱全，一年後被蕭鸞殺死，屍骨不存。

蕭鸞是誰？蕭鸞父親蕭道生是蕭道成的哥哥，去世很早，他便一直由叔父蕭道成撫養，蕭道成對蕭鸞視若己出。蕭鸞和蕭賾是堂兄弟關係。齊武帝蕭賾在駕崩前授予蕭鸞為輔佐大臣，輔佐自己不成器的孫子蕭昭業。

蕭鸞殺死蕭昭業後，怕給人口舌，自己並沒有馬上當皇帝，而是擁立蕭昭業的異母弟弟蕭昭文為帝。這個蕭昭文是個病秧子，根本不成氣候，2個月後就被蕭鸞廢黜。在蕭昭文被廢黜的下一個月，蕭鸞就殺害了這個年僅15歲的廢帝，還有那些曾經猜忌過他的宗親，沒有猜忌過的兄弟；那些和他有仇的和那些與他沒仇的蕭氏族人，差不多都遭到了他的屠殺，他被歷史上稱為皇家劊子手，蕭道成與蕭賾的子孫，幾乎全部都被蕭鸞誅殺。公元494年，蕭鸞成了南齊的第5位皇帝，是為齊明帝。

可能是殺人太多遭到報應，僅在位四年，公元498年8月，蕭鸞病重，卻不敢讓外面的人知道。9月1日，47歲的蕭鸞病死。臨終前，他告誡兒子蕭寶卷：「做事不可在人後！」可惜他自己的兒子也沒有一個是有用之才，蕭寶卷是蕭鸞次子，因為長子是庶出，又有殘疾，所以次子蕭寶卷11歲被封為皇太子，家人寵愛有加，皇子胡作非為。即位後接過父親手中的屠刀，稟承父訓，繼續砍殺蕭氏族人，對宰輔大臣稍不如意立即加以誅殺，是南朝最惡名昭著的昏君。他接連殺害顧命大臣，甚至毒死功臣蕭懿，直接導致蕭懿的弟弟蕭衍發兵進攻建康（南京），扶植了南康王蕭寶融在江陵稱帝。蕭寶融是南齊末代皇帝，蕭鸞第八子，蕭寶卷的同母弟弟。不久，蕭衍以蕭寶融名義，殺害湘東王安陸昭王蕭緬之子、督湘州軍事、輔國將軍蕭寶晊兄弟，並先後殺了齊明帝的其他兒子。

公元 502 年，蕭宝融被迫禅位给梁王蕭衍，南齐灭亡。

縱觀南齊，短短 23 年，一部血腥家族殺戮史。南齊的滅亡，與兩位少帝有直接關繫，也是蕭家教育子孫的失敗。從第三代敗家子開始，奢侈浪費，殘忍暴政，兄弟睥睨，亂殺無辜，是南齊滅亡的根本原因。

#2 齊宣帝蕭承之永安陵石刻

一說為齊高帝蕭道成泰安陵　　　　　　　　　圖片攝影：殷顯春

承

天祿為雌性，"身長2.95米，通高2.75米，頸高1.4米，體圍2.75米"，

雙角已殘，呈行走狀，左足在前，右後足有明顯修補痕跡，垂尾左旋。

圖片攝影：劉錚揚

　　南朝第一個王朝劉宋整整當政60年，有9任皇帝，皇族天天忙著窩里鬥，互相殘殺，最終鷸蚌相爭、漁翁得利，讓蕭道成撿了個大便宜。

　　蕭道成出生名門，為劉宋右軍將軍，父親蕭承之是南宋的著名武將，他自己長得儀表堂堂，據說渾身佈滿鱗紋。13歲放棄學業隨父親南下至豫章（今江西南昌）駐守。在常年征戰和劉宋政權內鬥中，蕭道成逐漸成長並掌握大權。公元477年，後廢帝劉昱在睡夢中被自己衛士楊玉夫所殺，蕭道成立劉准繼位，為宋順帝，蕭道成被封齊王。在這之後，蕭道成將劉宋的宗室諸侯王或以謀反為由誅殺，或幽禁而死，並除去他們的封國。2年後，公元479年，蕭道成迫使宋順帝禪讓，劉宋滅亡，南齊建立，名齊高帝。

蕭道成的父親蕭承之生前沒有做過皇帝，他死於公元447年，他這個"宣帝"頭銜，是22年後兒子蕭道成做了皇帝，追尊父親為宣帝，母陳氏為孝皇后，其墓擴建為帝王陵寢，名謂永安陵，為丹陽的第一座皇陵。

齊、梁兩代的皇室都出自蘭陵蕭氏，以漢初名相蕭何為祖先。蘭陵蕭氏在南方的僑居地便被稱為南蘭陵郡，這里是齊、梁兩代帝王的家鄉，因此，齊、梁帝陵都分佈於南蘭陵郡，即今丹陽市一帶。蕭道成還未稱帝時，跟同族的蕭順之（梁武帝蕭衍之父）關繫特別鐵，曾經一起去爬家鄉的經山（一名金牛山，在今江蘇丹陽市東北35裡）。經山風水極佳，蕭道成的祖上都葬於此地，而蕭道成也十分重視這塊風水寶地，便將陵址定在離京城較遠的丹陽，去世後葬於經山南側的泰安陵。

坐落在丹陽胡橋鎮張莊村東北方獅子灣水田里的永安陵（或泰安陵），建於479年（南齊建元元年）。現存天祿、麒麟各一，其中天祿保存尚可，麒麟頭已不存。兩尊石獸東西相向而立，相隔30餘米，天祿在東，麒麟居西，雕琢均較簡略，線條明快宏約，不甚繁復，或許這與蕭道成"務節儉"的為政之風有關。

其中，天祿為雌性，"身長2.95米，通高2.75米，頸高1.4米，體圍2.75米"，雙角已殘，呈行走狀，左足在前，右後足有明顯修補痕跡，垂尾左旋。

麒麟，雄性

"身長 2.9 米，通高 2.42 米，頸高 1.38 米，體圍 2.4 米，"頭顱已損毀。昂首挺胸，形象威嚴。

圖片攝影：劉錚揚

西側的神獸為雄性，"身長2.9米，通高2.42米，頸高1.38米，體圍2.4米，"頭顱已損毀。昂首挺胸，形象威嚴，頭既不存，只好根據通常的組合模式，權且稱其為 "麒麟"。 麒麟亦呈行走狀，為與天祿對稱，繫右足在前。兩獸伸出的前足爪下，均抓持一小獸。麒麟垂尾落地後逆時針盤曲一圈，顯得頑皮可愛，與對面的天祿有著明顯的不同。

關於此處的墓主究竟為誰，史學家朱希祖、朱偰父子與日本京都大學人文科學研究所東方部教授、美術史論家曾佈川寬有不同見解。在這個獅子灣附近數百步還有另一處石刻遺址，叫趙家灣石獸。朱希祖調查時，趙家灣尚存兩隻無頭神獸，時至今日，已不復存在。

以朱氏父子為代表的學者認為獅子灣是齊宣帝的永安陵，趙家灣是齊高帝的泰安陵。但曾佈川寬以為，按照南朝尚右的觀念，位於右側的趙家灣墓應是身為父親的齊宣帝蕭承之，而左側的獅子灣墓才是兒子齊高帝蕭道成。如果誠如所言，那麼我們所見到的乃是蕭道成之墓，而蕭承之陵前的石刻則永遠消失於歷史的風塵之中了。

無論是蕭道成還是蕭承之，這里的石刻都代表了當時特有的藝術風尚。

＃3 齊武帝蕭賾景安陵石刻

圖片攝影：劉錚揚

齊武帝蕭賾是開國皇帝蕭道成的兒子，在位時間是公元 482-493 共 11 年。他的墓在丹陽東北二十五里一個叫"虞家"的村子裡，旁邊有片不小的的荷花塘。

齊武帝蕭賾是南北朝時少有的雄主，也是一位沒有什麼污點的好皇帝。他是蕭道成的長子，齊國第二任皇帝，在他治理的十多年里，齊國對外和魏國通好，對內勤儉節約，百姓修生養息，社會安定祥和。

公元 492 年與他關繫最好的二弟蕭嶷逝世，蕭賾萬分悲痛，史書記載"世祖哀痛特至，至冬乃舉樂宴朝臣，上虛歔流涕"。一年之後他悉心培養的太子蕭長懋也先他而去，可以說這兩個人的接連去世對蕭賾的打擊十分巨大，從此他的身體也每況愈下，最終在同年的 7 月病入膏肓。蕭賾選擇了蕭長懋的長子蕭昭業即皇太孫繼承皇位。死前不立富有政治經驗的次子蕭子良，卻立長孫蕭昭業為帝，蕭賾從此埋下宗室骨肉相殘的禍根，為後來南齊的滅亡留下了伏筆。

彌留之際的蕭賾還特意留下旨意，要求自己的喪事一切從簡，身上只穿平常衣物，不要任何名貴的服飾，不要煩擾百姓，宮中女眷一律不得陪葬。在留下這道詔書後，54 歲的蕭賾便去世了。

麒麟身長2.7米，殘高2.2米，

頸高1.4米，體圍2.51米。

圖片攝影：殷顯春

天祿身長3.15米，高2.1米，

頸高1.55米，體圍3米。

麒麟身長2.7米，殘高2.2米，

頸高1.4米，體圍2.51米。

圖片攝影：殷顯春

　　景安陵始建於永明十一年，即公元493年。《南齊書·武帝紀》載："永明十一年七月，上不豫，戊寅大漸，詔曰：陵墓萬世所宅，意嘗恨休安陵（武帝後陵）未稱，今可用東三處地最東邊以葬我，名為景安陵。《南史》卷四又載，武帝臨終詔曰："我識滅後，身上著夏農畫天衣，純烏犀子，經諸器服，悉不得用寶物及織成等，唯裝稼袂衣各一通，常所服刀長短二口，鐵環者，隨入梓宮。祭敬之典，本在因心，靈上慎勿以牲為祭。祭唯設餅、茶飲、幹飯、酒脯而已。"景安陵雖未經發掘，隨葬之物看來也比較簡易，但齊武帝所說的休安陵，說的是他自己的皇后，也就是文惠太子的母親的陵墓。他對休安陵的規制或者風水不滿意，因此並沒有選擇跟皇后合葬，而是單獨選擇了另一處位置，也就是在東三處地的最東邊。這里的東三處地，大體是指整個蕭齊帝陵區的東面，而東面的最東處，就是今天景安陵之所在了。

　　如今景安陵已平，陵前僅存石獸一對，東為天祿，西為麒麟。朱希祖先生到訪時，見到了一件石刻和一個柱礎，當時的村民說另一件陷進池塘中去了。今天陷進池塘中的石刻也被打撈了出來，尚有長期被水浸泡過的痕跡，而朱希祖見到的柱礎，卻沒有找到。

頭部作朵頤隆起，口部略作圓形，額上及四角突出如小翅狀的茸毛。此外，頭部、頸部、背部、翼部的裝飾繁富，又增添了華貴之氣。雕刻技法方面，多用圓刀法，併註意到圓雕、浮雕和線雕的綜合運用，可以說是南朝石塑巔峰之作。

圖片攝影：劉錚揚

天禄身長 3.15 米，高 2.1 米，頸高 1.55 米，體圍 3 米。麒麟身長 2.7 米，殘高 2.2 米，頸高 1.4 米，體圍 2.51 米。它們形體高大，獸身窈窕修長，長頸細腰，胸部突出，全身略作 S 形，給人以苗條清秀之感。整體誇張與局部刻劃相得益彰，如頭部作朵頤隆起，口部略作圓形，額上及四角突出如小翅狀的茸毛。此外，頭部、頸部、背部、翼部的裝飾繁富，又增添了華貴之氣。雕刻技法方面，多用圓刀法，並註意到圓雕、浮雕和線雕的綜合運用，可以說是南朝石塑巔峰之作。

齊武帝的年號"永明"一共有十一年，是南齊一朝使用最長的年號，也是對於文學史來說意義非常的一個年號，以沈約為代表的"永明體"被認為是近體詩的發端，這個仿佛坐在豌豆和蠶豆苗中間的麒麟，倒是很符合永明詩人王融的詩句"坐銷芳草氣"了。因 "永明盛世"，所以在雕刻技藝上也有了較大的發展，這尊天祿，身體的彎曲程度，並不及修安，金王陳等地，但是脖子修長，是南朝所有石刻天祿當中，體態最為婀娜多姿，亦最為協調之作，為南朝陵墓石刻的代表作。

＃4 齊景帝蕭道生修安陵石刻

圖片攝影：劉錚揚

　　蕭道生是齊高帝蕭道成的次兄，齊明帝蕭鸞的父親，卒於劉宋時。他生前並未做過皇帝，齊明帝建武元年（494年）追尊其為景皇帝，妃江氏為懿后，合葬陵寢曰修安。

　　齊景帝修安陵位於丹陽縣東北17公里，經山支脈水經山南的仙塘灣（俗稱鶴仙坳）山崗南麓，離1968年發現的修安陵墓穴500餘米外，處在茶園坡地的西側，掩映在一片密林之中。高大的樹冠於南北兩側遮擋了大部分的空間，只餘有東側的一條土路及兩石獸間一小片空地。

　　修安陵石刻東西相對，東為天祿，西為麒麟，均為公獸。天祿身長3米，高2.75米，頸高1.54米，體圍2.52米，雙角殘斷；麒麟身長2.90米，高2.42米，頸高1.38米，體圍2.40米，獨角，角上綴滿鱗紋。兩獸均胸突腰聳，瞋目張口，相對動勢協調對稱，天祿邁左足，麒麟邁右足，均四爪攫一小獸；天祿頭略向北斜。麒麟頭略向南傾；兩手長尾均垂於趾間，內收後，天祿迴摺左旋，麒麟迴摺右旋。

麒麟身長2.90米，高2.42米，頸高1.38米，體圍2.40

米，獨角，角上綴滿鱗紋。麒麟邁右足，四爪攫一小

獸，頭略向南傾；兩手長尾均垂於趾間。

圖片攝影：劉錚揚

修安陵最初的營建時間已不可考，其最初應是以王禮修建的。齊明帝蕭鸞登基之後，蕭道生被追尊為帝，修安陵應是在建武元年（公元495年）之後，再以帝陵禮制進行了大規模擴建。1935年，朱希祖、朱偰先生父子考查丹陽地區的南朝石刻，在胡橋山仙塘灣（鶴仙坳）南麓，對兩尊矗立在山前平地之上的石獸進行了考察，之後結合文獻史料以及齊梁帝陵石獸的樣式、雕刻手法的對比，從而認定此處應是齊景帝蕭道生的修安陵。

天祿身長 3 米，高 2.75 米，頸高 1.54 米，體圍 2.52 米，雙角殘斷。

突顯六朝時期雕刻藝術的精髓，身上的每一處線條都是曲線。

圖片攝影：劉錚揚

修安陵推測建成於齊明帝在位時期，而此時正是南齊乃至整個南朝時期陵墓雕刻藝術的巔峰階段。從修安陵開始，神獸石刻一下子變得美好起來。修安陵石刻的身體，完全而且清晰的彎曲成了一個"S"型，步伐雄偉，步幅很長，整體造型渾然一體，充分彎曲的身體，充分伸展的步伐，充分張開的嘴部，突顯六朝時期雕刻藝術的精髓。它身上的每一處線條都是曲線，完全沒有歷朝陵墓石像生的呆闆木訥。它細腰乍背，頸項修長，四肢肌肉渾厚有力。

作為蕭齊石刻的代表作，修安陵石刻的體型並不肥碩，身軀也並不龐大。但是，正是這種清風秀骨，方為南朝藝術之典範，這一點遠非蕭梁石刻所比。石刻整體的傲然於世的氣度，唯有永寧陵可比。此處的石刻十分精美，融矯健與精致於一體，雄健而瑰麗。而且十分難得的是，這里的石刻保存的非常完整，兩只石獸昂首挺立，挺胸凸肚，腰部上抬。雙眼圓睜，一條長長的大舌頭下又分出數條長長的頜須，飄蕩動人，十分神氣。跨越一千五百年的時光，仍矯首而視，目光炯炯，散發著屬於蘭陵蕭氏的光彩。

#5 齊明帝蕭鸞興安陵石刻

麒麟，身長3.02米，殘高2.70米，頸高1.35米，腰圍2.78米。
四足及尾巴全失。文保部門用水泥重塑了麒麟的四足和尾巴。 　　　圖片攝影：殷顯春

齊明帝的興安陵到底在哪里？

齊明帝蕭鸞，作為蕭齊王朝開創者蕭道成的侄子，雖然也屬王室成員，但畢竟在"父子相傳"的帝業傳承順序上來講，蕭鸞只是"外氏"，而且兩次廢立皇帝，不僅在朝野看來離不開一個"篡"字，對於蕭道成的子孫來講，也是鳩佔鵲巢。

在丹陽市正東側，接近丹陽北站有一條皇業路。在路的西側緊密的排列著四座南朝帝陵，滬蓉高速從陵區的西南方向穿行而過。這片大型的南朝帝陵陵區自古被稱為"三城巷"，自北向南分別排列著梁簡文帝蕭綱莊陵、梁武帝蕭衍修陵、梁文帝蕭順之建陵及齊明帝蕭鸞興安陵。一直被認為是齊明帝蕭鸞的興安陵位於三城巷皇陵區的最南側，北距梁文帝建陵石刻約60米。

蕭鸞即位後，對蕭氏同宗從猜忌轉而變為屠殺。蕭道成與蕭賾的子孫幾乎都被蕭鸞誅滅。雖然其在位期間，為政有才、推動經濟，但其自翦宗枝卻削弱了齊朝的統治基礎。蕭鸞死後數年，南齊便被蕭衍滅亡。

公元498年，蕭鸞病死，時年四十七歲，謚號明皇帝，廟號高宗，葬於興安陵。

北側的天祿是慘不忍睹，身軀完全斷裂，後用水泥勉強粘合起來。圖片攝影：劉錚揚

　　被命名為“齊明帝蕭鸞興安陵”是齊明帝蕭鸞與敬皇后合葬陵，坐西朝東，原本南朝時期應建有的高大封土現已無存。在興安陵前的一條小河溝南北兩岸各存有石獸一對，南為麒麟，北側的天祿慘不忍睹，身軀完全斷裂，後用水泥勉強黏合起來。南側麒麟四足全失，獨角已殘，身長3.02米，殘高2.70米，頸高1.35米，腰圍2.78米。根據記錄顯示，興安陵南側的石獸曾長期傾覆於地，之後才被人為扶起。1957年，當地文物管理部門又將其放到基座之上；1935年朱偰先生拍攝的興安陵麒麟石刻，可以明顯的看到當時石刻僅僅只是左前腿殘缺，其它三肢依然完好。今天南側麒麟，可以看到四足是明顯的修補之後的結果，其原有的四肢已全部散失。可見，這座麒麟的四肢應是在上世紀40-70年代之間被人為毀去了，至於1957年將其扶正於基座之時是否依然保存有三肢，現有資料並未記錄。它們是毀於何時何人之手，現在更是查閱不出了。

　　從麒麟舊有雕刻身體上來看，其獨角已殘，獸身雄健，頸項短肥，頭上昂，頜下有垂胸長須，大翼由4小翼組成其形與胸前長毛渾然一體，由頭至尾調飾為連珠，口角有齒狀茸毛。雙眼只簡單刻出上眼瞼兩條弧線，僅成為裝飾性紋樣的S形明顯特徵。耳呈圓形，雕刻基本為浮雕狀態。前胸紋飾相比之下較為生硬，線條粗，轉摺生澀，上下無變化。毛須轉摺收尾粗圓，兩線之間距離寬大，較為笨拙。造型紋樣處理方法與周圍紋飾似乎不同。

　　蕭鸞的陵墓石刻雖然地處帝陵區，目前也被認為是齊明帝蕭鸞的興安陵，但因其陵墓未被發掘，而且從現有的各類實質文物中並未發現明確證據，因此，此帝陵是否葬為蕭鸞，一直以來都被學者所質疑。綜合分析，丹陽三城巷現存的4組神道石刻雖分屬4座蕭梁陵墓，但三城巷最南側及次南側之石獸因在一個陵園內，陵區內實僅有3座獨立的陵園，即建陵、修陵、莊陵，故自宋代以來有"三城巷"之稱。此四陵遵循尚右的排葬規律，即陵區內各陵以南為尊，愈向北墓主卒葬時代愈晚，輩分愈低。其中位於陵區最南端的墓葬，墓主入葬最早，輩分最高，極有可能是梁武帝蕭衍祖父母蕭道賜夫婦陵墓。但從石獸樣式看，最南端的石獸要明顯晚於建陵、修陵，而與丹陽陵口、莊陵、南京獅子沖等處石獸十分接近，其制作年代推測在梁大同十二年，所以這處現標註為"齊明帝蕭鸞興安陵石刻"的主人，極大可能實為蕭衍之祖蕭道賜。

＃6 水經山村南朝失名墓石刻

一說為齊前廢帝郁林王蕭昭業墓石刻　　　　　圖片攝影：殷顯春

兩座站立狀的石辟邪，保存較好，風化痕跡較少，翅膀紋理歷歷分明，爪部腳趾清晰可鑒。

北辟邪雄獸，身長2米，高1.51米，頸高0.73米，體圍1.65米。

石獸造型圓潤飽滿，似走似立，威而不兇，憨態可掬。

雄辟邪右前胸連同底座部分曾受損，雖修補得近乎嚴絲合縫，但材質紋路與色差一眼看出區別。

　　《乾隆丹陽縣誌》："經山，在縣東北三十五里，昔有異僧講經於此，故名。上有金牛洞，一名金牛山。今土人名經山為旱經山，而以其東南五里之支山為水經山。"值得註意的是，幾乎所有齊一代的君主，均葬於經山側，如齊宣帝、高帝二陵，在經山西南；齊景帝陵，在經山南；齊武帝陵在經山東；齊明帝陵，在經山東南。此外，文惠太子、竟陵王、文獻王墓據文獻記載也應都在此山周圍。如果說丹陽是南齊故里，那麼經山可謂是蘭陵蕭氏最為青睞的風水寶地。

　　水經山村石刻保有兩座站立狀的石獸，保存較好，風化痕跡較少，翅膀紋理歷歷分明，爪部腳趾清晰可鑒。水經山村兩尊石獸是無角辟邪，南北相向而立，相距 20 余米，北為雄獸，南為雌獸，千年以來保存的依然完整，它們仰首張口，伸舌下垂，兩獸作躞蹀狀，造型體長而頸短，動作對稱。其中，南辟邪身長 1.85 米，高 1.45 米，頸高 0.65 米，體圍 1.62 米；北辟邪身長 2 米，高 1.51 米，頸高 0.73 米，體圍 1.65 米。石獸造型圓潤飽滿，似走似立，威而不兇，憨態可掬。雄辟邪右前胸連同底座部分曾受損，雖修補得近乎嚴絲合縫，但材質紋路與色差一眼看出區別。雌獸除尾部有與雄獸相似的修補痕跡外，頭部缺損甚於雄辟邪，其它部位則好於雄獸，張口吐舌，挺胸擡腰，多了一份矯健豪邁之勢，顯得更敦實，雄壯。

雌獸頭部缺損甚於雄辟邪，張口吐舌，挺胸擡腰，多了一份矯健豪邁之勢，顯得更敦實，雄壯。

南辟邪雌性，身長1.85米，高1.45米，頸高0.65米，體圍1.62米。

水經山石刻較之南京郊區蕭梁王侯墓之辟邪，體量雖小，然身材修長雋美，身體彎曲程度較大，突出其流線之美，此點甚高於蕭梁辟邪之多矗立無動態之感也。沿襲齊諸陵石刻昂首闊步之風格，步伐亦美，不似蕭梁辟邪腳步之緊縮笨重。特別是石獸之臀部，突起明顯，尾巴長垂於地，靈動可愛，亦非蕭梁辟邪可比。

既然獅子作為王侯身份的鎮墓獸，那麼對應的具體身份是誰呢？

當年蕭鸞殺了蕭昭業，又假借太后名義追封其為郁林王，典型的 "又當又立" 做派，符合蕭鸞當時心情，以王禮安葬廢帝，歸葬於祖塋左右，恰能自圓其說。所以，此處無名墓是廢帝蕭昭業的墓陵，可能性相當大。

＃7 爛石壟南朝失名墓石刻

一說為齊後廢帝海陵王蕭昭文墓石刻　　　　　　　　圖片攝影：劉錚揚

　　自水經山南齊佚名墓沿縣道建（山）埤（城）路南行約 700 米，公路右（西）側路坡下方不幾米處，即為爛石壟南齊佚名墓石刻。

　　據《丹陽縣誌》記載：墓今已平。墓前有 2 尊石辟邪，南北對列。南辟邪現已碎，北辟邪較完好。形似獅，身長 1.58 米，高 1.54 米，頸高 0.75 米，體圍 1.7 米。張口吐舌，作蹲踞狀，其形態為南朝石刻中所僅見。1977 年 5 月提升入座，此墓有齊廢帝海陵王蕭昭文墓之說。

　　石刻共有兩個，一南一北，隔著一條土路對峙。南側的損壞嚴重，只剩下軀體下側的部分石塊，而北側比較完整，但是風化嚴重，要仔細辨認，才可以看清局部花紋。

　　與朱偰《建康蘭陵六朝陵墓圖考》的照片對比，至少在 1936 年，爛石隴石刻的南側石獸整體還基本完整，至於北側石獸，當時風化也不嚴重。至於是什麼時候，石獸損壞，還不知道。

　　爛石壟在水經山無名石刻（蕭昭業墓）的南面 700 米，有推測為齊廢帝海陵王蕭昭文墓石刻，日本學者也認為是蕭昭文之陵。這兩個相隔不足千米的小冢，規制和神獸大小幾乎同出一轍，所以推測為同一年被廢黜的後廢帝之陵寢。可憐蕭昭文，戰戰兢兢危坐龍椅不過百天，便在十月被意謀篡位的蕭鸞廢黜為海陵王，次月便被蕭鸞謀殺，年方十五歲。曾布川寬亦贊成這兩處相鄰的失名陵屬於蕭氏小兄弟。

　　這兩座疑冢的主人坐上皇帝寶座不過百天相繼被殺，估計修陵的工匠們連基本的標配都來不及做完就匆匆下葬，所以神獸之小尚不及梁代一個王爺墳辟邪體型的一半，想起南朝劉宋最後一個皇帝宋順帝劉準在被逼禪位時，說的一句話：「願生生世世，再不生帝王家！」難免心中湧起無名的悲哀。

北辟邪較完好。形似獅，身長 1.58 米，高 1.54 米，頸高 0.75 米，體圍 1.7 米。

張口吐舌，作蹲踞狀，其形態為南朝石刻中所僅見。

圖片攝影：殷顯春

爛石壟南辟邪已碎

圖片攝影：劉錚揚

#8 金王陳南齊失名陵墓石刻

一說為齊明帝蕭鸞興安陵
一說為齊廢帝齊東昏侯蕭寶卷陵

圖片攝影：殷顯春

天祿雄性，身長2.38米，高2.25米，頸高1.20米，體圍2.00米；頭部已殘，失去3足，造型S形。

圖片攝影：殷顯春

　　金王陳失名陵位於江蘇省鎮江市丹陽市丹北鎮管山村西側，是一座南齊帝陵，墓主尚無定論，附近曾有金家、王家、陳家三個自然村，故稱金王陳失名陵。這個無名陵墓有說是蕭鸞的興安陵，也有說是蕭鸞兒子蕭寶卷的陵墓。

　　日本京都大學教授、美術史論家曾布川寬認為此是蕭鸞之墓，而目前定為"興安陵"的蕭鸞之墓應該是梁朝最後一個皇帝敬帝蕭方智的。

　　地面現有石刻神獸一對。天祿雄性，身長2.38米，高2.25米，頸高1.20米，體圍2.00米；頭部已殘，失去3足，身上雕飾因年代的久遠以及曾傾倒於水塘之中，風化至今已漫漶不清。天祿身體修長，比例適中，頭頸後仰，造型S形運動線表現為平穩壓縮的動勢，這種造型具有典型的南齊時代特征。麒麟身長2.13米，高1.90米，頸高1.05米，體圍1.65米。因其曾長期沒於土中，所以西石獸雖有殘損，但紋飾尚清晰，吻部及左後足已失。從規格來看，尺寸要稍小於東側的天祿，與其它陵墓石獸個體相差無幾相比，此處兩個石獸似乎也不太般配。

南朝故事之三 • 悲慘的南梁

南梁

公元502年-557年

共55年，歷4任皇帝，建都建康，後建都江陵

序號	皇帝	在位年數	在位時間	備註
1 武帝	蕭衍	48 年	502-549	被侯景囚禁餓死
2 簡文帝	蕭綱	2 年	549-551	被逼禪 (shàn) 位蕭棟，後蕭棟禪 (shàn) 位侯景
3 元帝	蕭繹	4 年	552-555	被西魏殺
4 敬帝	蕭方智	1 年	555-557	禪 (shàn) 位陳霸先

時間來到南朝的梁朝。

先來談談歷史上最悲慘、沒有一個皇帝可以善終的梁朝。

南齊的末代皇帝蕭寶卷無惡不作，自取滅亡，妥妥的敗掉父親蕭鸞靠屠殺奪取的政權。他的弟弟蕭寶融是個傀儡，無足掛齒，兩兄弟落得個死無葬身之地，陵墓連王侯的華貴都比不上。

蕭寶卷在公元501年，宰殺蕭衍的哥哥蕭懿，直接導致蕭衍起兵造反。公元502年蕭衍廢齊建梁，名武帝，史稱南梁。

蕭衍也是蘭陵蕭氏的世家子弟，是蕭何的25代世孫，他的父親蕭順之是齊高帝蕭道成的族弟，他的輩分是和齊武帝蕭賾同輩，取名梁武帝是不是也要跟齊武帝平起平坐也未可知。蕭衍在位時間長達四十八年，倒是一個好皇帝，他吸取了齊滅亡的教訓，自己很勤於政務，而且不分春夏秋冬，總是五更天起床，批改公文奏章，在冬天把手都凍裂了，蕭衍的節儉也是出了名的，史書上說他"一冠三年，一被二年"，他不講究吃穿，衣服可以是洗過好幾次的，吃飯也是蔬菜和豆類，而且每天只吃

一頓飯，太忙的時候，就喝點粥充饑。在這方面，蕭衍在中國古代所有皇帝中也算得上出類拔萃。史書評價他"儉過漢文，勤如王莽，可謂南朝一令主"，把一個南朝的亂世，活生生建立起一個"桃花源"，令南梁前期國勢頗盛。

蕭衍是一個矛盾體皇帝，他對外殺戮毫不留情，對內對家人卻是無底線寬容，他的六弟蕭宏和自己的大女兒永興公主亂倫通奸，還想謀朝篡位，刺殺蕭衍，失敗後，大女兒自盡，而蕭衍居然放過了六弟，原諒了他，其官職很快就得到了恢復。到蕭宏病重時，蕭衍前去探望達七次之多。蕭宏死後，蕭衍以極高的規格將他安葬。

蕭衍的次子蕭綜，是前朝妃子吳景暉和蕭寶卷的遺腹子，蕭衍視如己出，封豫章王。蕭綜知道自己不是蕭衍親生兒子之後，便開始有了二心，想要回北魏，他知道叔父蕭寶夤（親生父親的兄弟）在北魏，便派人與其暗中聯絡。梁魏交戰時，蕭綜鎮守彭城（今徐州），於是帶著徐州投降北魏，改名蕭贊，刻意表明自己是蕭寶卷的兒子。蕭衍了解到真相之後，盛怒之下廢吳淑媛為庶人，將她毒死，並除去蕭贊的宗室屬籍，改易蕭贊兒子蕭直的姓氏為悖，但不到十天又恢復其蕭氏宗籍，並封蕭直為永新侯。後來蕭衍心軟，下詔恢復吳淑媛的封號，給她加了謚號敬，讓蕭直主持她的喪事。蕭贊落魄潦倒，死於北方，蕭衍取回了他的遺骨，以皇子身份陪葬於修陵。

這些皇室宗族亂七八糟的事情，分裂著梁武帝的神經，他開始心灰意冷，曾三次出家為僧，想從佛家的因果裡尋求心靈的救贖。他沉迷佛事，無心朝政，大建佛寺及翻譯佛經，戒了葷腥，戒了女色，就連祭祀宗廟也由豬、牛、羊改為了蔬菜。他不但遵循清規戒律，還專心研究佛法，著有《涅萃》《大品》《淨名》《三慧》等數百卷佛學著作，令佛教大盛。可是佛事太過不僅損害經濟，還影響朝政，梁朝國勢開始衰弱。晚唐詩人杜牧的"南朝四百八十寺，多少樓台煙雨中"寫的就是自梁武帝開始，全國各處修建的大量寺廟。

梁武帝蕭衍又是一個才學淵博的南齊皇室遠親，故而在當時的士大夫中很受歡迎與推崇，梁武帝能順利登基很大一部分原因來自士族的支持。梁武帝很重視人才的培養，在位期間，廣設官學使得南梁文風日盛。梁武帝還是個詩人，博通文史，留下一千多首詩詞，為"竟陵八友"之一。（竟陵八友是南齊永明年間出現的一個文人團體，由竟陵王蕭子良召集，包括蕭衍、沈約、謝朓、王融、蕭琛、範雲、任昉、陸倕八人。）

《江南弄采菱曲》

蕭 衍

江南稚女珠腕繩，

金翠搖首紅顏興。

桂棹容與歌采菱。

歌采菱，心未怡，

翳羅袖，望所思。

詩歌中對江南稚女容貌、服飾、舉止、歌聲的描繪，形象地再現了春日宮苑蓮池中妙齡少女蕩舟采菱的情景，較為生動地映現了采菱舟中那紅顏翠腕的江南少女綽約風姿，尤其是翳羅悵望之美，頗為傳神。

公元 548 年，梁武帝引狼入室，誤信匈奴叛將侯景，招來"侯景之亂"，549 年，叛軍攻占都城建康（今南京），八十六歲高齡的蕭衍被活活餓死，這對一個有佛心的老皇帝而言，更是一個悲劇，無論一個人信仰何種信念，也難免受到現實世界的冷酷和矛盾的挑戰。

　　侯景攻陷臺城後，認為當前不宜自立為皇帝，便擁立蕭綱為皇帝。蕭綱是蕭衍的三子，昭明太子蕭統的胞弟，母丁令光。蕭綱的長兄蕭統是皇太子，在公元 531 年就病故了；二哥蕭綜，就是那個齊王蕭寶卷的遺腹子，因造反死在北方，三子蕭綱就被命運安排做了傀儡皇帝梁簡文帝。

　　侯景平時對簡文帝蕭綱十分防範，551 年 10 月 2 日，侯景派人廢梁簡文帝蕭綱為晉安王，改立豫章王蕭棟為皇帝，並大量殺死梁家諸子。蕭棟是太子蕭統的孫子，梁簡文帝蕭綱的侄孫。當日，侯景以簡文帝名義下詔禪位給蕭棟。當時京城一帶饑荒，蕭棟與王妃張氏正在園中種菜，看到來迎接他為帝的士兵，不知所措，哭著登車，被侯景立為皇帝，升武德殿。當時平地起風，將華蓋吹翻直出端門，時人便知蕭棟不能善終。侯景掌權，蕭棟毫無實權。他追封祖父蕭統、父蕭歡為皇帝，尊母王氏為皇太后，立王妃張氏為皇后。不久，蕭棟又被廢黜為淮陰王，侯景自立為漢皇帝，並將蕭棟和弟弟蕭橋、蕭摎囚禁在密室里。

　　不久，在公元 551 年 11 月 15 日，被囚禁於永福省的梁簡文帝被侯景派人用土袋壓死，享年 49 歲。侯景事後為梁簡文帝蕭綱上諡號曰明皇帝，廟號高宗，後來蕭綱的弟弟梁元帝蕭繹在 552 年追諡蕭綱為簡文皇帝，廟號太宗。

　　蕭綱本人文學造詣很高，雅好詩賦，有大量詠物、宮體、閨怨之作，其中五言詩最多，並且與蕭子顯、蕭繹、徐摛、庾肩吾等人形成宮體詩流派，蕭綱是宮體詩的代表，其曾於《菩提樹頌序》中著有"悲哉六識，沈淪八苦，不有大聖，誰拯慧橋"的名句。可惜造化弄人，一個不是皇帝料子的人被迫做了傀儡皇帝，還丟了性命。

　　公元 552 年，蕭衍的七子，蕭綱的弟弟蕭繹平定侯景，登基為梁元帝並收復建業。蕭繹登基第一件事情，就是殺侄孫蕭棟。他派手下朱買臣在建康殺死侯景所廢皇帝蕭棟兄弟三人。12月13日，蕭繹即帝位於江陵（今湖北江陵縣），是為梁世祖。當時，群臣中有人建議返回舊都建康，但蕭繹沒有同意。可見，蕭繹自己都覺得他這個皇帝做的不那麼名正言順。

梁元帝蕭繹在任職期間，熱愛讀書，熱愛文學，是"四十六歲，自聚書來四十年，得書八萬卷"的君主，卻製造了影響中國文明進程的江陵焚書事件。

公元554年11月（梁承聖三年十月），西魏遣大將於謹、宇文護、楊忠率五萬大軍從長安出發，直指江陵。其實，二年前梁元帝定都江陵，就已經註定了他覆滅的命運。江陵背靠長江，北方無險可守，而且遠離南朝長期的政治、軍事中心建康。為了應付兄弟和宗族間的沖突、控制潛在的敵對力量，他又將軍隊分駐在各地，對北方的強敵西魏非但不加防範，還妄想利用它來消滅異己，甚至在接到梁朝舊臣馬伯符從西魏發來的密件時，還不相信對方已在作入侵的準備。

公元555年1月10日，梁元帝蕭繹節節敗退，最後躲進東竹殿，命令舍人高善寶把自己收藏的古今圖書十四萬卷全部燒毀，包括從建康為避兵災而轉移到江陵的8萬卷書，自稱"文武之道，今夜盡矣！""讀書萬卷，猶有今日，故焚之。"這次焚書，大量珍貴的典籍、古書被付之一炬，從數量上說，梁元帝毀滅了傳世書籍的一半；從質量上說，他所毀掉的是歷代積累起來的精華，損失無法估量，史稱四大焚書之一，江陵焚書被視為中國的文化浩劫之一，梁元帝由此成為中華民族的罪人。

清朝初年的王船山評論其焚書行徑："未有不惡其不悔不仁而歸咎於讀書者，曰書何負於帝哉？此非知讀書者之言也。"（沒有人會不痛恨那些不懂悔改、不為人民著想而歸咎於讀書的人，說書本有什麼對不起天君呢？這不是懂得讀書的人會說的話。）有人問梁元帝："為什麼把書都燒毀了？"元帝回答："我讀書萬卷，還落得今天亡國的結局，所以乾脆燒了它！"

十九日，梁元帝被西魏人處死，梁王蕭詧派傅準去監刑，用裝土的袋子把他壓死。蕭詧讓人用粗布把屍體纏裹起來，以草席進行收殮，用白茅草牢牢捆住，埋葬在津陽門外，同時把太子蕭元良、始安王蕭方略、桂陽王蕭大成等都殺了。

梁武帝有八個兒子，其中文采極高者有三位，即長子蕭統、三子蕭綱和七子蕭繹，後世文學界將蕭衍父子四人並稱為"四蕭"，名氣不亞於曹魏的"三曹"。而"四蕭"當中，成就最高者當屬"梁元帝蕭繹"，而他最終的結局卻又最淒慘，最讓人扼腕。

梁元帝在江陵被殺後，公元555年陳霸先、王僧辯擁立蕭方智以太宰承制於建康，立為梁王。蕭方智是梁元帝蕭繹的兒子，顯然這又是一個傀儡皇帝。11月1日，蕭方智登基。2年後禪位與陳霸先，南梁被南陳取代。

歷史再次重演。

丹陽三城巷帝王陵

梁帝陵主要分布在丹陽市荊林三城巷，水經山之南的曠野上，自南向北依次排開四座南朝帝陵。

南面第一座現在命名為齊明帝蕭鸞的興安陵，目前學術界還存在不同看法，認為其最大可能應是蕭梁追尊的帝陵，但是其它三座帝陵的帝王身份基本較為明確，依次排列為梁文帝建陵、梁武帝修陵和梁簡文帝莊陵。

#9 梁文帝蕭順之建陵石刻

麒麟 獨角殘缺

身長 3.05 米，殘高 2 米，頸高 1.25 米，體圍 2.7 米。四足及尾端皆為後補。

天祿，雙角四足盡失，頭部似刀削一般損毀嚴重。"身長3.1米，殘高2.3米，頸高1.5米，體圍2.76米"。

足部未修復，殘肢置於石座之上。

圖片攝影：劉錚揚

北柱額：太祖文皇帝之神道（正書順讀）

圖片攝影：劉錚揚

石柱兩個

南柱額：太祖文皇帝之神道（反書逆讀）

圖片攝影：劉錚揚

圖片攝影：殷顯春

蕭順之是梁文帝蕭衍的父親，蕭衍做了皇帝後追封父親為太祖文皇帝。蕭順之的陵墓建陵因此也按照帝王陵墓規格建造。建陵位於江蘇省丹陽市城東荊林鎮三城巷東北方，梁武帝蕭衍的修陵和父親梁文帝蕭順之的建陵、梁簡文帝蕭綱（蕭衍第三子）的莊陵，前後相鄰均只有不到 50 米的範圍。齊明帝蕭鸞與安陵神道石刻向北約 60 米處。建陵現存石麒麟、天祿各一，石柱二，石碑座二，石臺基二。石柱北為正書順讀，南為反書逆讀，其文隸書"太祖文皇帝之神道"。

蕭順之是南朝齊的開國皇帝蕭道成的族弟，同為漢丞相蕭何的後人，雖然死的早，但他的皇族血統和地位，對蕭衍最終得到帝位有很大幫助，蕭衍也是受到家族的庇護。蕭順之是個有本事的好人，因此也是蕭氏家族中最好命、最善終的人。蕭順之的文韜武略相當可以，但他欽服族兄蕭道成，認定其能成大事，所以就一心一意輔佐在側，並在關鍵時刻指點迷津，為蕭道成廢宋改齊立下汗馬之功。這麼一個功高蓋世的開國元勛，卻從不居功自傲，位置擺得很正。族兄齊高帝蕭道成辭世，蕭順之接著輔佐侄子齊武帝蕭賾，依舊是規規矩矩，不倚老賣老，不心存覬覦，經得起榮耀，受得了委屈。而他自己兒子蕭衍做皇帝期間，也是蕭梁繁榮昌盛的時期，所有的好事情都讓蕭順之遇上，所以他的陵墓保存最完整，石刻最精美。

柱身豎刻 24 道隱陷直刻棱紋，俗稱 "瓦楞紋"。

圖片攝影：劉錚揚

　　建陵是南朝四個朝代中現存最具規格的陵墓，建陵東向，現已平，陵前石刻現存 4 種 8 件，自東向西依次為石獸、石礎、石柱、石龜趺各 1 對。

　　南側石獸為麒麟，獨角殘缺，"身長 3.05 米，殘高 2 米，頸高 1.25 米，體圍 2.7 米。" 四足及尾端皆為後補，工藝水平很差，估計是後來王朝一天不如一天的胡亂修補。

　　北側石獸為天祿，雙角四足盡失，頭部似刀削一般損毀嚴重。"身長 3.1 米，殘高 2.3 米，頸高 1.5 米，體圍 2.76 米"。足部未修復，殘肢置於石座之上。

　　所有資料上幾乎都稱 "方形石礎 1 對"，但其實建陵近旁還各有兩個石礎，方形、長方形皆有，來路用途未知。

石獸、石礎、石柱、石龜趺各1對

圖片攝影：殷顧春

　　麒麟、天祿兩只神獸，長髯垂胸，羽翼披身，姿態飄逸，使人心生敬畏。四足斷修，但殘破的身軀露盡南朝風雅。建陵對南朝石刻的研究價值也非常深遠，其神道左側石柱柱額，是反書正讀。全國只發現三處是反書正讀的。

　　建陵神道石柱頂端柱頭覆蓮紋的蓮花座，明顯是受了印度傳來的佛教文化影響；而帶有瓦楞形凹紋的柱身，極具希臘和亞述風格。"建陵是可見梁武帝蕭衍的崇佛熱潮，讓中國歷史上的對外開放和文化交流，提前到南北朝，而不是人們普遍認為的盛唐。"

　　在建陵，可以看出南梁石刻的最高水准：南朝陵墓石刻在蕭梁時期，無論造型、雕塑技法，還是禮儀制度等方面，都得到了重大的發展。尤其是神獸石刻兼具劉宋時期的古樸雄奇與蕭齊時期的精琢細飾，獨具神韻，達到了南朝時期的最高水准。

石龜趺一對　　　　　　　　　　　　　　　　圖片攝影：劉錚揚

　　特徵一：石刻體量相對劉宋、蕭齊尤為碩大，石刻
的高度、體量顯著增加。南梁時期，陵墓石刻無論帝后陵
寢的麒麟還是王侯陵寢的獅子，以及附屬的石柱、贔屃之
屬，其高度、體量相對劉宋、蕭齊兩朝顯著增加，增加的
幅度是極為明顯的。

　　以石獸的體量為例，現存南朝帝陵石獸中，體量最大的石獸為營建於南梁大同十二年即公元546年的陵口石獸，其重量近30噸；而王侯墓葬中，體量最大的石獸為營建於南梁普通七年即公元526年的梁臨川靖惠王蕭宏墓獅子，重量亦接近20噸，其體量遠超劉宋、蕭齊兩朝。

　　特徵二：蕭梁時期，獅子逐漸取代虎，成為墓葬石獸外型的主要參照物："梁武帝時期至梁亡，石獸完全以獅子為石獸造型，頭部雕飾繁復，圓雕技法不突出，但石獸的體量空前巨大，頭部的比例與胸部的前凸程度較大，整體造型威風凜然。"南梁帝陵石刻體現了獅子逐漸取代虎，成為墓葬石獸外型的主要參照物這一趨勢的流變過程。

　　梁思成先生曾說過："藝術之始，雕塑為先"，一部雕塑史是一部藝術史，更是一部文明史。建陵的龜趺是國內難得的早期石趺樣本，兩座石龜面如截鐵，線條有力，可惜的是其上碑已無存。兩只石龜就這樣空空的相視了一千四百多年。

#10

梁武帝蕭衍修陵石刻

雄性天祿，南向。

長 3.1 米，高 2.8 米，頸高 1.45 米，體圍 2.35 米。

天祿整體保存狀況尚好，似乎僅有左前足曾受損修補過。或許因為這個緣故，擔心其難以承受龐大身軀重壓，在其腋下塞了兩方石墩加以支撐。

圖片攝影：殷顯春

　　蕭衍是南齊宗室，亦是蘭陵蕭氏的世家子弟，出生在秣陵（今南京），父親蕭順之是齊高帝的族弟，公元502年，齊和帝蕭寶融被迫禪位於蕭衍，南梁建立，是為梁武帝。稱帝後的蕭衍改善許多前朝留下的弊政，並多次主持整理經史文書。然而晚年的他多次出家，傾力資助佛教發展直接導致國庫空虛。公元549年，降將侯景叛亂，攻破建康宮城 --- 臺城。梁武帝被囚禁在淨居殿，仍念經不輟。四月，竟然饑餓而死，與德后郗氏合葬陵寢名修陵。

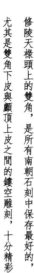

修陵天祿頭上的雙角，是所有南朝石刻中保存最好的，尤其是雙角下皮與顱頂上皮之間的鏤空雕刻，十分精彩。

圖片攝影：劉錚揚

梁武帝蕭衍在位時間 48 年，在南北朝皇帝中名列第一。

修陵石刻，位於江蘇省丹陽市雲陽鎮三城巷北，南靠其父梁文帝建陵，北毗其子梁簡文帝莊陵。修陵東向，三座陵墓由南向北排列，在一條直線上。

三城巷地界，本並不十分廣闊，但令人大開眼界的是，在如此狹窄之地域以內，竟井然排列下三座帝陵。從建陵所在向北望，可以看到修陵孑遺的唯一石獸。建、修二陵之間，走路也不過一兩分鐘而已，在疑興寧陵與建陵間、修陵與莊陵間，若非專業人士，則可能將各自陵寢石刻混為一談，達到不辨你我的境地，可見距離切近之程度了。修陵墓主為梁武帝蕭衍，修陵石刻，僅遺留石獸一件，其余諸物皆無。

石獸旁，有文保碑一座，此石獸風格，與建陵（建陵為梁陵最早，承齊風）及諸齊陵風格差別較大，但竟與疑興寧陵相類，可見此亦可為考辯疑興寧陵之又一證據。

此陵為蕭衍及皇后郗氏的合葬陵寢。蕭衍於太清三年（549年）十一月葬修陵。此陵鄰近古有皇業寺，後改名戒珠院。唐《元和郡縣圖誌》："（修陵）在（丹陽）縣東三十一里。貞觀十一年（637年），詔令百步禁樵採。"宋《嘉定鎮江誌》："武帝衍修陵在縣東三十一里。"元至順年間《鎮江誌》載："丹陽皇業寺，今為戒珠院，父老相傳，梁武帝之陵墓在其下。"

清代詩人袁枚有《疑陵詩》，其中有"忽逢攔路兩麒麟，欲說前朝尚張口。一麟腹陷泥沙深，一麟僵蹲山角陰。牙須剝落麟爪盡，風雨千年石不禁。旁有穹碑無文字，萬萬蠅書紀某史"。可見在清代時還是兩個石獸。今陵前僅存一尊石獸，位於神道北側，南向。這個雄性天祿，"位於神道北側，南向。長3.1米，高2.8米，頸高1.45米，體圍2.35米。"天祿整體保存狀況尚好，似乎僅有左前足曾受損修補過。或許因為這個緣故，擔心其難以承受龐大身軀重壓，在其腋下塞了兩方石墩加以支撐。

　　該處石刻遺存位於神道北側，又可作為梁代石刻的代表作。這具石麒麟在雕刻裝飾技法上明顯不同於齊朝石刻圓雕，浮雕，統雕並用，整體誇張與局部刻劃、兼顧的做法，而是趨向簡樸、寫實，力圖把堅硬的石頭變得渾圓、柔軟而富有彈性。更為重要的是，強調巨大的體積感，頭大頸長，昂首天邊，雄踞一世，顯得氣魄非凡，有咄咄逼人之感，梁之石刻風格，在梁武帝時期，已達至臻境界。修陵天祿，體態健碩，頭部尤其碩大，昂首挺胸，其內中威風，不需贅言。石刻頭部之角，為南朝石刻中罕見之保存完好的作品。雙角鏤空，雕於頭頂，與後頸相連，此鏤空之技法，為南齊，劉宋所罕見，亦不見於後世，故稱此天祿為南朝石刻之孤品也。

#11 梁簡文帝蕭綱莊陵石刻

圖片攝影：殷顯春

綱

梁簡文帝莊陵距其父梁武帝的修陵居之北至多二、三十米，若不是爺倆兒各自的一尊天祿相背而立，很難想象這兩尊毗鄰的神獸分屬兩座不同的皇陵。

蕭綱（公元503-551年），字世纘，梁武帝蕭衍三子，昭明太子蕭統胞弟。初封晉安王，曾任南徐州刺史，蕭統病故後繼立為太子，這是他不幸的開端。侯景之亂梁武帝被囚禁致死後，蕭綱在侯景挾持下登基，時年47歲，做傀儡兩年後被侯景先廢後弒，葬於莊陵，年號大寶。其七弟蕭繹（梁元帝）滅侯景即位後，追諡為簡文帝，廟號太宗。

蕭綱死得很悲慘。侯景的死黨王偉等人給蕭綱送來酒肴時，王偉說："侯丞相念及陛下憂憤不已，特地派我們來為您敬酒祝壽。"蕭綱自知死期已至，就痛快地說："祝壽的酒，怎能不喝哪"於是一邊欣賞樂工演奏琵琶，一邊狂飲，長嘆道："這樣狂飲，並非僅僅圖個痛快啊！"直至酩酊大醉，王偉等人乘機用土袋將蕭綱活活悶死。

天祿，體形碩大，身高3.16米。　　　　　　　　　　　　　圖片攝影：劉錚揚

　　蕭綱自幼聰慧，十行俱下，過目不忘，傳說年僅六歲時便能寫出很優美的文章，梁武帝感嘆道："此子，吾家之東阿。"（東阿，縣名，位於今山東省西部，曾為"三曹"之一曹植的封地），以蕭綱比曹植，確有幾分相似之處。文學造詣遠在其父蕭衍之上，開創並領南朝五言宮體詩風騷的一代才子。

　　蕭綱莊陵也僅存一天祿，"北向，體形碩大，身高3.16米。"更慘的是，這尊天祿僅余前軀，後軀竟齊齊斷去。天祿舉頸昂首怒目圓瞪，呲牙咧嘴似在咆哮，但細細望去，色厲內荏的神情里，難掩幾分驚恐、幾分哀號。

後軀斷去，呈哀嚎狀。　　　　　　　　　　　　　　　　　　圖片攝影：劉錚揚

南梁王侯的陵墓

南梁王侯的陵墓
高祖蕭順之的兒子（帝二代）：

一子：蕭懿　被齊王殺害
直接引發弟弟蕭衍起兵造反

二子：蕭敷

三子：蕭衍　建立梁朝的開國皇帝

四子：蕭暢

五子：蕭融

六子：蕭宏

七子：蕭秀

八子：蕭偉

九子：蕭恢

十子：蕭憺

梁武帝蕭衍的同父異母弟共十余人：

蕭融（被東昏侯蕭寶卷所殺，追封桂陽簡王，石刻存）

蕭宏（臨川靖惠王，石刻、石柱、石碑等存）

蕭秀（安成康王，石刻存）

蕭偉（建安、南平元襄王，石刻存）

蕭恢（鄱陽忠烈王，石刻存）

蕭憺（始興忠武王，石刻、石碑存）

其中蕭宏、蕭秀、蕭偉、蕭恢、蕭憺五人又被收入《梁書·太祖五王傳》，他們都死於梁武帝之前，因此陵墓都造的很大，反而是梁武帝自己的陵墓很小。蕭宏墓的石刻拓本，拓的是側面的畏獸，其中很多都是北朝風格，可見當時南北雖然是戰爭狀態，但是絲毫不影響文化交流，西域的一些風格也通過北朝傳到南朝來。蕭憺墓《始興忠武王碑》今存，康有為在《廣藝舟雙楫》中就認為"貝義淵書《始興王碑》，長槍大戟，實啟率更。其碑千余字，完好者三分之一，尤為異寶。"梁武帝還有一個堂弟蕭景（吳平忠侯，石刻、石柱存），南京大學的校徽包括南京很多的標誌，都是蕭景墓前的石刻。他們在蕭衍奪取天下之時或為其征伐四方、或為其據守家業、或為其輔境安民，在文史與民治方面立下赫赫功勛，都是蕭衍的得力助手。

#12 梁桂陽簡王蕭融墓石刻

蕭順之五子

圖片攝影：劉錚揚

西南側辟邪為雄獸，出土時碎成數塊，現已修復。體長 2.95 米，高 2.6 米，胸寬 1.1 米。

石辟邪兩只，東北、西南相對，相距25米。東北側辟邪為雌獸，保存較好，長3.18米，高2.46米，胸寬1.45米。

蕭融字宣達，為梁文帝蕭順之第五子，梁武帝蕭衍的異母弟。齊永元三年（501年）與其兄蕭懿一道被齊東昏侯蕭寶卷賜藥毒死。梁武帝即位後於天監元年（502年）追贈蕭融散騎常侍、撫軍大將軍、桂陽郡王，諡曰"簡"。天監十三年（514年）十月其妃王慕韶卒，十一月附葬蕭融墓。

　　蕭融墓神道石刻位於南京市棲霞區張家庫西南的南京煉油廠小學內，原來就叫張家庫失考墓石刻。1980 年 9 月南京煉油廠在基建施工中，於石刻西北方向約 1000 米處發現一座大型南朝磚室墓，隨後由南京市博物館進行了清理發掘。墓葬磚室全長 9.8 米，墓室寬 3.15 米，殘高 1.78 米。墓內遺物早年被盜掘一空，僅出土兩方石刻墓誌。一方為梁桂陽王蕭融墓誌，一方為桂陽王妃王慕韶墓誌，可知此墓乃蕭融和其妃王慕韶的合葬墓。根據南朝陵墓神道石刻和石刻後墓葬的分佈規律看，南京煉油廠小學內的兩件石辟邪當即梁桂陽王蕭融墓前神道石刻。

　　蕭融墓現存石刻 2 種 3 件，其中石辟邪兩只，東北、西南相對，相距 25 米。東北側辟邪為雌獸，保存較好，長 3.18 米，高 2.46 米，胸寬 1.45 米。西南側辟邪為雄獸，出土時碎成數塊，殘缺嚴重，通體南半如刀劈去四分之一，北半亦剝蝕，後臀上部缺一大塊，上額部分分裂，胸前有縱橫裂紋，現已修復。體長 2.95 米，高 2.6 米，胸寬 1.1 米。兩只石辟邪均張口昂首，長舌垂胸，頭有鬣毛。腹例雙翼，翼前部飾魚鱗紋，後部飾 5 根翎毛。胸部高聳，肌肉發達。4 足，每足 5 爪。一足前邁，水平距離超過腹部。東北側辟邪顯得尤為威武雄壯，氣勢雄渾。

　　這兩只石辟邪為南京地區現存時代最早的石辟邪。此外，在東北側石辟邪前面，還有一殘存的神道石柱柱頭小辟邪，這件遺物應是置放在神道石柱蓮花蓋之上的，但石柱的其他構件均已不存，可能也是與其相關的神道石刻。

#13 梁臨川靖惠王蕭宏墓石刻

蕭順之六子

圖片攝影：劉錚揚

有辟邪二（西辟邪僅剩殘塊），東辟邪身長 3.2 米，前寬1.48米，後寬1.38米，高（連座）3.05米，昂首突胸，口張，舌伸及胸，作大踏步向前邁進狀，形態慓悍，尾部粗壯及地，尾端茸毛分散為數股，向內彎曲，格外顯得有力。

圖片攝影：劉錚揚

蕭宏，帝二代，是梁文帝第六個兒子，梁武帝蕭衍的弟弟。他的墓石刻位於南京市仙林學則路蕭宏石刻公園內，為全國重點文物保護單位。石刻比較精美，留存數也比較多，比較完整。

"龍生九子，子子不同"，家族之大無奇不有。作為蕭衍的六弟、建朝後獲封郡王之位的蕭宏是個"成事不足，敗事有余"之人。其雖在史書中贊為魁梧俊美、容止可觀，卻是個大"繡花枕頭"，不僅是個"草包"，還極其貪得無厭。

西石柱屹立，高4.96米，扁圓形，錶面刻28道瓦楞紋，
周3.2米。柱額向北，上刻豎行順讀銘文：
"梁故假黃鉞侍中大將軍揚州牧臨川靖惠王之神道"
東石柱斷為數節，1988年修復樹於原地。
圖片攝影：劉錚揚

蕭宏魁梧俊美，南齊末年，授中護軍，衛戍京師。梁武帝繼位，冊封臨川郡王，授揚州刺史。他怯懦貪鄙，刻薄百姓。天監四年，興兵北伐，經歷洛口之敗，纍授驃騎大將軍、太尉公。公元526年去世，時年54歲。

蕭宏平庸無能，但愛財如命，貯藏錢財的庫房將近百間。他奢侈過度，沉湎聲色，王府高屋飛甍，仿佛帝宮，侍女千人，爭芳鬥艷。寵妾江無畏，服飾珠寶堪與東昏侯的寵妾潘妃媲美。《南史·梁宗室傳上·臨川靖惠王宏》載：蕭宏，貌美而柔懦，北魏稱之為蕭娘以嘲諷。後世用以泛指美貌多情女子。

《憶揚州》

唐　徐凝

蕭娘臉薄難勝淚，桃葉眉尖易覺愁。

天下三分明月夜，二分無賴是揚州。

　　解釋：少女嬌美的面龐遮掩不住相思離別眼淚，桃葉眉上所掛的一點憂愁也容易被人察覺。

　　1997年春夏之交，南京市博物館聯合棲霞區文管會發掘了蕭宏墓穴，該墓呈"凸"字形，全長13.4米，由封門墙、甬道、墓室、排水溝等部分構成。墓室四壁外弧，內長7.7米，內徑3.7米，高5.25米。因早年遭盜掘，僅出土有少量的銅鏡、鐵鏡、鐵棺針、陶憑幾、陶盤、陶湧、鎏金銅釘、青瓷盞、青瓷唾壺、石墓門等遺物，還出土人牙4枚。其中石墓門上浮雕有人字拱，在建築學上具有參考價值。

　　蕭宏墓前現存石辟邪二、石柱二、石碑一、龜趺二。東辟邪原倒埋溝中，底座破缺，臀部殘，1956年修復扶正。西辟邪殘毀太甚，倒埋土中。修復後的東辟邪長3.2米，前寬1.48米，後寬1.38米，高3.15米（連座）。石辟邪張口垂舌，昂首挺胸，翼刻鱗紋，勢欲飛躍，充滿活力。在南朝陵墓石獸中，蕭宏墓石辟邪造型簡煉，別具神姿。

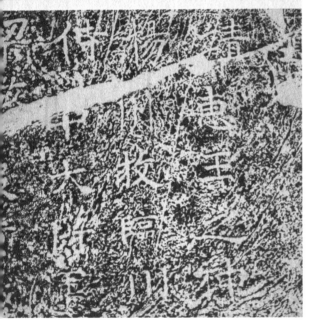

左页：梁臨川靖惠王蕭宏墓神道西碑側畫像

右上：梁臨川靖惠王蕭宏墓神道西柱額

右下：梁臨川靖惠王蕭宏墓神道東柱額

西石柱立在田埂間，高4.96米，柱圓3.2米，刻二十八道瓜棱紋，額北向，題"梁故假黃鉞侍中大將軍揚州牧臨川靖惠王之神道"，字豎行，順讀。柱頂蓋，小石獸已無。東石柱斷為數塊倒於地，蓋在柱側，上雕有蓮花圖案，柱礎上圓下方，中斷為二，1974年被埋土中。

石柱之南的石碑，原有兩碑，東西相對，東碑已毀，僅存龜趺，半埋土中，西碑猶立龜趺之上，尚完整，但因剝蝕過甚，碑文已無法辨認，此碑襲漢碑作風，圓首有穿，刻雙螭上端，碑額題文，不能辨認。碑側面分八格刻紋飾，第一格刻半人半獸的怪物，第二格刻雙奇鳥，第三格刻有翼蛙形怪獸，第四格刻雙角飛獸，第五格、第七格刻怪物，第六格刻鼓翼飛鳥，第八格刻飛馬。這些紋飾妙趣橫生，在雕刻刀法上同神道石柱浮雕相一致。蕭宏墓碑碑側分格雕圖案紋飾，是南北朝時期碑刻的特點。

東石碑已佚。西石碑完好，碑文因風化無法辨認，碑身北側上下刻一列神怪、羽人、朱雀、青龍等八圖，周有卷草紋，形態豪放飛動而華美，亦是碑刻浮雕之精品。

圖片攝影：劉錚揚

#14 梁安成康王蕭秀墓石刻

蕭順之七子

圖片攝影：劉錚揚

蕭秀墓刻大約立於梁天監十七年（公元518）之後，較一般陵墓多出一對石碑，
其排列秩序依次為石辟邪一對、前石碑一對、神道石柱一對、後石碑一對。

　　蕭秀（公元 476-518），字彥達，是梁文帝蕭順之第七子，蕭順之生前並沒有當上皇帝，死後由他的兒子蕭衍追封的。蕭秀是蕭衍的弟弟，公元 502 年被封安成康王，公元 518 年去世，時年 44 歲，謚號"康"，墓南向，蕭秀墓神道石刻在蕭恢墓神道石刻東近 500 米，位於南京市棲霞區甘家巷小學，千年前這里便被稱為甘家巷，為一九七四年發掘。

　　梁安成康王蕭秀墓石刻是個包羅萬象的石刻寶庫——墓神道石刻南北向排列，三種 8 件石刻文物，它們構成了南京南朝石刻中遺存最豐富、規模最完整的一處集群：辟邪兩只，東西相對；石柱一對，東西各一，東邊僅剩柱子底座，西柱柱頭圓蓋及小辟邪已失。柱額上題刻"梁故散騎常侍司空安成康王之神道"幾個字，依稀可辨。前石碑 1 對僅存龜趺座。西龜趺座頭部殘缺；後石碑一對。蕭秀墓神道石刻中設置 4 通石碑，在南朝陵墓中是較為少見的，這裡石刻遺存最豐富，佈局最完整，是南朝陵墓石刻中的代表作品。

石辟邪2只，均為雄獸，東西相對，間距18米。東辟邪身長3.35米，高2.95米，體圍3.60米；西辟邪身長3.07米，高3.02米，體圍3.70米。兩辟邪基座高度均為0.10米。這兩只石辟邪昂首張口，長舌垂胸，頭部有鬃毛，腹側雙翼，翼作三翎，通體長毛卷曲如蔓，體態肥壯，保存得較為完好。

前石碑一對僅存龜趺座。西龜趺座頭部殘缺，長2.70米，寬1.49米，高1米。東龜趺座長3.54米，寬1.43米，高1.02米，頭部斷落於地，1953年用鋼筋、水泥將其修復。1953年，在東碑座旁邊曾發現一塊南宋石碑傾倒在地，損失左側一角，高4.35米，厚0.32米，碑文漫漶不清，如今已不知去向。

圖片攝影：劉錚揚

　　自南起，第一對為兩只辟邪。東辟邪長3.35米、寬1.55米、高2.95米，較完整；西辟邪長3.07米、寬1.55米、高3.02米、座高0.10米，臀、背部微殘。兩辟邪均為雄獸，無角，體形碩壯，昂首吐舌，頸粗短，頭有鬣，翼作三翎，頂及脊有凹道，通體長毛卷曲，足趾五爪。

　　第二對前石碑，現僅存龜趺2，殘碑1。東龜趺高1.02米、寬1.43米、長3.54米；西龜趺高1米、長2.70米、寬1.49米。殘碑倒埋地下，1957年整修石刻中發現，殘約四分之一，斷為三，部分文字剝蝕難辨。

　　第三對石柱，東石柱僅存柱座，座高0.66米、長1.45米，四周雕有紋飾。西石柱柱身高3.86米、柱礎高0.67米、通高4.62米，上覆蓋已無存，蓋上小石辟邪現存南京博物院。柱錶作瓦楞紋，上部飾繩索紋和交龍紋，柱礎裂為兩半。

　　第四對後石碑，東碑身高4.15米、寬1.46米、厚0.31米、座高1.01米、長3.37米、通高5.16米，碑側浮雕已漫漶不清，中部有裂縫。西碑身高4.10米、寬1.44米、厚0.32米、座高1.02米、長3.07米、通高5.12米、碑身剝蝕嚴重，正面碑文難辨，碑陰尚有門生官吏1300余人的姓名依稀可辨，為研究南朝小楷的重要實物資料。碑額"梁故散騎常侍司空安成康王之碑"，碑頂飾雙螭交互盤繞，額穿一孔，額面浮雕騰躍雙螭，碑側浮雕珍禽、瑞獸等圖案。

神道石柱2個，東柱僅存柱座，上圓下方，邊長1.45米，高0.70米，四側飾有神獸紋。西柱柱頭圓蓋及小辟邪已失，柱身、柱座保存較好，通高4.70米。柱身雕刻隱陷直刳棱紋20道，高3.86米，柱額上題刻"梁故散騎常侍司空安成康王之神道"15個字，依稀可辨；柱額下飾有一圈繩辮紋和一圈交龍紋。柱座上為圓形，下為長方形，長1.45米，寬1.40米，高0.84米，造型紋飾與東側石柱柱座相似。

圖片攝影：劉鉾揚

後石碑一對至今仍東西相對，千瘡百孔，斑駁陸離，給人以強烈的滄桑感。兩碑皆圓首，碑首部中間有一個圓
形穿孔。碑脊兩邊分別裝飾著交結成辮狀的高浮雕雙螭。兩碑碑身側面原來也有浮雕，今已模糊不清。兩碑
正文全泐，僅碑額可識。碑額正書"梁故散騎常侍司空安成康王之碑"14個字，共5行，每行3字，末行2字。後
一對石碑中，西碑高4.10米，寬1.44米，厚0.32米；龜趺座長3.07米，寬1.46米，高1.02米。碑陰（背面）
刻正書21行，每行最多不超過64個字，字多漫漶，尚可辨認的有"吏周宗之"、"吏邵道宣"等官吏姓
名。史稱該碑為彭城劉孝綽（481-539）撰文，吳興貝義淵書寫。該碑在1953年曾進行過維修加固。東碑高4.15
米，寬1.46米，厚0.31米；龜趺座長3.37米，寬1.50米，高1.01米，碑陰刻正書提名6行，多不可辨。
圖片攝影：劉錚揚

#15 梁建安郡王蕭偉墓石刻

蕭順之八子　　　　　　　　　　　圖片攝影：劉錚揚

石柱兩個，相隔約 5 米。西柱殘存柱座、柱身、柱蓋和柱額，
柱額上尚能辨認出"梁故侍中中撫" 6 個楷書大字；
東柱殘存柱身、柱座等。

蕭偉（476 年～ 533 年），梁文帝蕭順之的第八子，梁武帝蕭衍的同父異母弟，梁天監元年（502 年）封為建安郡王，天監十七年（518 年），改封南平王。梁中大通四年（532 年）卒，享年 58 歲，謚曰元襄。蕭衍起兵，蕭偉為冠軍將軍，都是跟著哥哥出生入死，為蕭衍建立梁朝立下汗馬功勞。

蕭偉墓刻位於南京市棲霞區堯化鎮弓箭玻璃器皿廠北側、仙新路東面的小樹林里，路邊立有文物石碑。1979 年，南京博物院發掘出土東西相對的神道石柱兩個，相隔約 5 米。西柱殘存柱座、柱身、柱蓋和柱額，柱額上尚能辨認出“梁故侍中中撫”6 個楷書大字；東柱殘存柱身、柱座等。柱身均作隱陷直刳棱紋，直徑 0. 6 米；柱座保存較好，上為雙螭，高 0. 42 米，張口銜珠，有翼有足，頭上雙角，雙螭中間為一圓形平臺，平臺中間為一方形榫孔，雙螭之下為方形基座。這兩個神道石柱與其它南朝陵墓石柱相似。

#16 梁鄱陽忠烈王蕭恢墓石刻

蕭順之九子

圖片攝影：劉錚揚

現存石辟邪兩件，均為雄獸，東西對立，相距 19.6 米。東辟邪原來從頭至尾，縱斷為兩塊，縫寬 0.14 米，四足及尾部均斷，1955 年 11 月修復。梁辟邪造型相似，昂首張口，長舌垂胸，胸部凸出，頭有鬃毛，東辟邪翼飾 6 翎。西辟邪翼飾 5 翎，胸部飾勾雲紋，一腿前邁，長尾垂地，體態肥碩健壯。

圖片攝影：劉錚揚

　　鄱陽忠烈王蕭恢墓，在南京東北郊甘家巷西，距離蕭憺墓（No.11）
60米。前者在東，後者在西。蕭恢墓石刻與蕭憺墓石刻比鄰而居，位於
蕭憺墓東側。雖然已知石刻位置，但因千百年來的地表變遷，原有墓上
建築均已不存，蕭恢墓至今仍未發現。

　　蕭恢字弘達，梁文帝蕭順之第九子，梁武帝蕭衍異母弟。公元
526年九月卒於荊州任上，享年五十一歲，次年二月歸葬建康。跟NO.12
的蕭景前後腳去世。

　　現存石辟邪兩件，均為雄獸，東西對立，相距19.6米。東辟邪長3.20
米，寬1.75米，高2.81米，體圍4米。西辟邪頭部殘缺，軀體風化斑
駁，身長3.45米，寬1.20米，高2.87米，體圍4.20米。兩辟邪造型
相似，均無角，昂首張口，長舌垂胸，頷須披拂，頭有鬃毛，腹側雙翼，東
辟邪翼翎5支，西辟邪翼翎6支，胸前飾勾雲紋，一腿前邁，長尾垂地，體
態肥碩。造型生動優美。

　　蕭恢是蕭梁宗王，因此其墓前石刻也是低於帝陵的王級配製，現存石辟邪兩只，均為雄獸，東西相對，間距19.6米。蕭恢墓辟邪簡潔方正，註重大體塊的處理，整體雕刻簡練，不以技巧為重，而以渾厚質樸的表現手法為主，給人以振奮昂揚的感覺，體現出恢弘的氣勢。

　　蕭恢墓原有墓碑。據《寶刻叢編》卷二十五收錄宋王厚之《復齋碑錄》，載有"梁故侍中司徒鄱陽忠烈王墓誌"，為梁張纘奉敕造，普通七年（526年）二月二十五日葬。1950年代以來，先後出版的介紹南朝陵墓石刻的多種圖錄，如姚遷、古兵編《南朝陵墓石刻》（1981年）、林樹中編《南朝陵墓雕刻》（1984年）、梁白泉主編《南京的六朝石刻》（1998年）、日本奈良縣立橿原考古學研究所編《南朝石刻》（2002年）、南京博物院編《南朝陵墓 雕刻藝術》（2006年）等皆沿舊說，直接指認此二石獸屬於蕭恢墓。其他非南朝陵墓石刻類專著及論文雖多有涉及者，然亦均無發明。

#17 梁始興忠武王蕭憺墓石刻

蕭順之十子

圖片攝影：劉錚揚

額題"梁故侍中司徒驃騎將軍始興忠武王之碑" 摘自《六朝文化》

　　蕭憺墓位於江蘇省南京市棲霞區棲霞街道東北郊甘家巷西花林村。西南距堯化門4公里。墓南向偏東，墓前現存石辟邪2個，石碑1個，龜趺2個，是1935年文物保護專家朱偰在做調查時發現的。現僅存神道石柱一件，柱身大半陷於土中，地上部分柱身高3.44米，柱圍1.82米，上刻24道束竹紋，柱頂圓蓋及其上小辟邪不存。柱額上尚存銘文，正書逆讀，文曰："梁故侍中仁威將軍新渝寬侯之神道"，其中仁、威、侯三字磨滅，余字大體可以辨識。柱額下浮雕3個承重力士，中間一人站立，左右兩人蹲踞，均作舉於承額狀。

梁始興忠武王蕭憺墓神道碑

東石辟邪，長3.75米、高2.92米、寬1.60米，雄獸，頭部缺，腰部中斷，腿斷缺。辟邪昂首挺胸，翼前部雕飾浪花，後為長翎，額下須毛作八縷下垂，身刻卷雲紋，脊部隆起，線條雄渾，其體量與造型極類蕭恢、蕭秀墓辟邪。腹部置一小辟邪，高1.04米、長1.04米，張口伸舌作佇立狀，腹下與前後腿之間未鏤空，雕刻簡樸生動。1984年11月江蘇省南京市文管會在提升石刻中又發現與之相似的另一只小辟邪。西辟邪僅存後胯，與東辟邪相距16.5米。

石碑北距辟邪20米，應有一對。現西碑僅存龜趺，高1.16米、寬1.60米。東碑保存完好，分碑首、碑身、龜趺三部分，通高5.61米。碑首浮雕蟠螭，額下有圓形穿孔，額題："梁故侍中司徒驃騎將軍始興忠武王之碑"。碑身高4.45米、寬1.60米、厚0.32米，碑側分8格，刻鳥獸紋飾。碑文略有剝蝕，碑文長達2800餘字，東海徐勉撰，吳興貝義淵楷書，為六朝陵墓碑刻中存字最多、最完整的一塊。

龜趺高 1.16 米、寬 1.60 米,雙目凸出,昂首伏地,雕刻傳神。

蕭憺是蕭順之的第十子,也是蕭衍的最小的同父異母弟弟。在蕭衍時代死去的王侯弟弟們,都享受了皇家貴族的禮儀,反而比後面那些兒皇帝得到善終。蕭憺死於公元 522 年,享年 45 歲,《水滸傳》中描寫的荊南蕭嘉穗的高祖,即此蕭憺。

蕭憺極為孝悌,生母吳太妃、養母陳太妃和同母兄蕭秀去世時,都非常哀傷,不飲食者數日。而且性格勤懇謙和,優待士人,受到好評。

蕭憺墓東側石碑(南-北),摘自《六朝藝術》蕭憺墓西側石碑已失,僅存石龜趺座。東側石碑保存較好,碑高 4.45 米,寬 1.6 米,厚 0.33 米,龜趺座長 1.46 米,寬 1.6 米,高 1.15 米。碑額題"梁故侍中司徒驃騎將軍始興忠武王之碑";碑文為東海徐勉撰、吳興貝義淵書,詳細記載蕭憺生平,絕大部分字跡清晰可辨。

#18 梁吳平忠侯蕭景墓石刻

蕭順之侄子

圖片攝影：劉錚揚

南京曾經是有「市徽」的，其圖案是虎踞龍盤之下的城牆與城門，中間圍繞著一只昂首張口、長舌垂胸、右
腿前邁、威武霸氣的「吉祥物」，這個「吉祥物」就是辟邪，其藍本正是來自於蕭景墓。由於蕭景墓的辟邪
藝術性與歷史性兼具，因而被選為南京市徽的代表性符號。

圖片攝影：劉錚揚

蕭景墓前石柱保存完整、紋飾精美、銘文清晰，最為難得。該石柱通高6.5米，柱頭為覆蓮形圓蓋，蓋上蹲坐一只小辟邪；柱身為圓柱形，雕飾二十四道刳棱紋；柱身上部有一長方形石額，上刻“吳故侍中中撫將軍開府儀同三司吳平忠侯蕭公之神道”六行二十三字，楷體反書；柱礎高0.98米，上圓下方，圓形部分浮雕雙螭銜珠紋，方形基座四周雕刻神怪紋飾。石柱上刻寫的銘文字跡清晰，直接指明了墓主身份。

圖片攝影：劉錚揚

　　位於南京市棲霞區十月村農田里的梁吳平忠侯蕭景墓，是南朝石刻的傑出代表。有學者指出，這處石刻的名字長期被搞錯，墓主的正式名字應該是"蕭昺（bǐng）"而非"蕭景"。南京大學程章燦教授指出，蕭景的"本名"是"蕭昺"。嚴格說來，此人生前沒有改過名字，一直都叫"蕭昺"，是其死後被後人刻意將其名字改為蕭景的。（《梁書》避唐世祖李昺諱而改名）

　　蕭景是梁武帝蕭衍的堂弟，為人高尚，有風骨和魄力，善於辭令。在朝廷為眾人所崇敬。他與蕭衍雖然只是堂兄弟，但蕭衍非常看重蕭景，每逢軍國大事，都與他商量決定。公元 523 年，蕭景在郢州去世，年四十七。

　　蕭景墓石刻現存一只石辟邪、一根華錶柱。"蕭景墓石刻最有價值的是那根石柱！"南京師範大學文物與博物館學系主任王誌高教授說，這根石柱是目前南朝陵墓石刻中保存最為完好的神道石柱。

蕭景墓石柱碑額拓片，摘自《六朝文化》

　　蕭景墓石柱通高6.5米，柱圍2.48米，柱頭是一飾有覆蓮紋的圓蓋，上面佇立一只仰天長嘯的小辟邪。柱身上枋有一長方形柱額，上面反刻"梁故侍中中撫將軍開府儀同三司吳平忠侯蕭公之神道"二十三字，字體極為清晰，保存相當完好。專家介紹，南朝陵墓石柱上保存這種"反左書"的，目前只有兩例，除了蕭景墓石柱，還有丹陽梁文帝蕭順之神道石柱。

蕭梁的皇家第三代、第四代

蕭衍的兒子：

長子昭明太子蕭統：太子早逝，年僅30歲。

次子豫章王蕭綜：是前朝皇帝遺腹子。

三子簡文帝蕭綱：繼承皇位的梁朝第2任皇帝。

四子南康王蕭績：是八個兒子中比較優秀的，25歲因病去世。

五子盧陵王蕭續：貪財好色，44歲去世。

六子邵陵王蕭倫：視金錢如糞土，性格暴戾，被西魏攻城，失守被殺，時45歲。

七子梁元帝蕭繹：梁朝第三位皇帝，戰敗江陵，被土袋悶死，時46歲。

八子貞獻王蕭紀：侯景之亂後，與蕭繹爭奪帝位，失敗被殺，時42歲。

#19 梁南康簡王蕭績墓石刻

蕭衍四子

圖片攝影：劉錚揚

　　在江蘇鎮江句容市，城西北石獅溝村旁的開闊地上，雄踞一對龐大的石獸，人們習慣稱它為石獅，不遠處有一對石柱，這就是南朝梁代蕭績墓石刻。它是我國現存南朝陵墓石刻中最為宏偉的一處。

　　蕭績是南朝梁武帝蕭衍第四子，公元509年封為南康郡王，死於公元527年，年僅27歲，謚號"簡"，也稱南康簡王。按制其墓前設置辟邪。這對辟邪，頭上無角，一雌一雄，和帝后陵前頭上帶角的石天祿、麒麟不同，稱作辟邪，特用於王侯墓前，是當時統治者等級差別的一種標誌。"辟邪"是辟除邪物的意思，是古代一種尊奉的神獸，置於墓前作為侍衛與儀仗。這類石獸是以獅子為模式雕刻的，不過它與獅子的形象並不完全相同，自然界里沒有這種帶翼的動物。

高約6.5米的石柱,亦稱華錶。石柱之間相距17.7米,東石柱底座長1.57米,寬1.57米。西石柱長1.57米,寬1.55米。這對華錶由柱首、柱身、柱礎三部分組成,東華錶現完好無損,而西華錶柱首承露盤和小神獸均破損。這對石柱高均超6米,柱礎刻二龍銜珠圖案,上面立二十四道瓜棱形的神道石柱,瓜柱盡處上刻蟠螭圖案,再上是石額,上有楷書"梁故侍中中軍將軍開府儀同三司南康簡王之神道",字徑兩寸有余。

圖片攝影:劉鏵揚

有石獸和神道柱各一對，石獸東西而立，相距 17 米，東獸底座長 3.57 米，寬 1.62 米（前）1.46 米（後），高約 3.5 米。西石獸長 3.68 米（南）3.78 米（北），寬 1.39 米（前）1.34 米（後），高約 3.5 米。石柱之間相距 17.7 米，東石柱底座長 1.57 米，寬 1.57 米。西石柱長 1.57 米，寬 1.55 米，石獸與石柱間距分制為 19.6 米（東）21.1 米（西）。

石獸東西而立，相距 17 米，東獸底座長 3.57 米，寬 1.62 米（前）1.46 米（後），高約 3.5 米。
西石獸長 3.68 米（南）3.78 米（北），寬 1.39 米（前）1.34 米（後），高約 3.5 米。
圖片攝影：劉鋅揚

二辟邪東西相向而立，相距 16.8 米。石柱在其北面 21 米處。石柱背後緊靠池塘，往北地勢漸次隆起，約 10 公里處是巍峨的冑山，橫互連綿。石獸前方低平坦蕩，南面與相距 10 公里的赤山遙遙相望。秦淮河水繞過赤山，向南長流不息，這是一處地面開闊、山清水秀的所在。

　　辟邪連座是用一塊整石鑿成，體長3.7米，寬1.5米，高3.48米，加上埋在地中的基座共約4.40米，其重量估計有30噸左右。體形之龐大，氣魄之雄偉，令人嘆為觀止。

　　此處的石辟邪體態平整，裝飾樸實，並不象丹陽帝陵前的石天祿、麒麟那樣雕飾華麗。其雕刻雄渾，自成天趣。同時，它與同朝代的各王侯墓前的石辟邪相比，體態顯得更龐大雄偉。其雕刻刀法精熟，果斷豁達，線條流暢優美，集中體現了梁代民間雕刻家的卓越造詣，充分反映了六朝石刻藝術到了梁代日趨成熟。

　　蕭績墓石獸形體雖然龐大，然而在雕刻時除短翼外，又加襯了羽翅，令人不覺其體態笨重。再如石柱，在刻有剞棱形條紋的石柱身上，蓋著印度式的蓮花圓蓋，柱身下面又有刻著中國固有的吉祥之獸的柱礎，這說明，在保持民族藝術形式的前提下，還適當地吸收了外來的藝術形式，但看上去覺得整個造型渾然一體，並無支離散漫之感。

#20 梁新渝寬侯蕭暎墓石刻

蕭憺之子

圖片攝影：劉錚揚

　　梁新渝寬侯蕭暎（507-544 年），字文明。他是前邊我們所講述的始興忠武王蕭憺之子，其兄繼承了蕭憺的王爵，蕭暎則被蕭梁皇室冊封為新渝侯。

　　這是蕭氏第四代。蕭暎一出生，即已是南梁當朝之時，其父為郡王之銜、統領邊州，等蕭憺在 522 年逝世時，梁武帝蕭衍，也就是蕭暎的叔叔，為家族計，又冊封僅為十余歲的蕭暎為侯爵，之後更是尊其顯，在公元 540 年任命為廣州刺史。

　　蕭暎和後來取代梁朝建立陳朝的陳霸先有交集的，蕭暎先是拔擢了時任油庫吏的陳霸先為傳教（傳令吏），授陳霸先為中直兵參軍，不久出任西江督護，高要太守。之後於“廣州之亂”時，陳霸先率三千精兵，一戰解圍，受到梁武帝矚目。陳霸先後被任命為交州司馬，領武平太守。

現存華錶柱一個，柱頂寶蓋及小石獸均無存，部分柱身及柱礎埋在土中。
地上部分柱身高 2.1 米，柱圍 1.82 米、柱額南向偏東 20 度，上有文字。
圖片攝影：劉錚揚

　　1935 年，經中央大學教授朱希祖、朱偰父子等
人的實地調查，確認蕭暎墓石刻位於南京棲霞區甘家
巷北董家邊。蕭暎墓前石刻保存狀況不佳，僅存石柱
一，為神道西柱，柱身下陷土中，地上部分高 2.1 米。因
地勢低窪，現已半沒水中。柱頭圓蓋及小獸均佚，柱
身刻有 24 道瓦楞紋，柱圍 1.82 米，殘損嚴重。柱額
南向，原題"梁故侍中仁威將軍新渝寬侯之神道"15
字，正書逆讀。按字行的排列當為西柱，因剝蝕過甚，部
分文字已難辨。額下有浮雕一組，中為一力士以手承
額，左右各一人蹲踞，亦呈舉手承額狀。

蕭暎墓神道銘文見載於宋王厚之《復齋碑錄》，梁元帝所撰墓誌銘，唐歐陽詢《藝文類聚》卷四十八有載，朱希祖在《六朝建康冢墓碑誌考證篇》中有所考證。

回望周邊，不同於其它蕭梁時期的王侯，蕭暎墓前僅有這一座石柱。如果按蕭梁時期王侯墓葬的標准制式而言，蕭暎墓前的石刻不僅應有辟邪一對，更有石柱與石碑各一對。但今天，其它石刻的蹤影已經蕩然無存了，不知在歷史中遺失，還是存在著其它背景原因。至少在1935年朱偰先生對南京地區六朝遺跡進行考查之時，當時在蕭暎墓前就只留有這一尊石柱。從老照片上可以看到，石柱樹立在水田之中，而柱身下單截已經沒入田中的淤泥之中。其中，石柱上方的頂蓋及其上小辟邪已不存。

#21 梁建安敏侯蕭正立墓

蕭宏之子

圖片攝影：劉錚揚

墓葬東向偏南，兩石辟邪南北相對，相距約 16 米。南辟邪為雌獸，身長 2.2 米，高 1.95 米，
體圍 2.47 米，右翼及胸部有裂紋，頭後部殘。
北辟邪為雄獸，身長 2.15 米，高 2 米，體圍 2.47 米，頭部侵蝕嚴重，舌、尾殘。
這兩件石辟邪均體態矯駿，頭小身長，翼前部有魚鱗紋，後為 4 根翎毛，胸前飾勾雲紋。

梁建安敏侯蕭正立墓石刻，位於在江寧縣淳化鎮劉家邊村南，現在的中國江蘇海事職業技術學院旁。現存石辟邪兩件、神道石柱一對。

據柱額題字可知，墓主為梁建安敏侯蕭正立。蕭正立是梁朝"蕭娘"浪蕩子蕭宏的第五子，初封羅平侯。因其母江氏受到蕭宏寵幸，蕭宏在長子蕭正仁早逝後，立蕭正立為世子，成為王位繼承人。蕭宏死後，蕭正立自知不合情理，主動將王位謙讓其兄蕭正義。這一舉動深得梁武帝嘉許，於是破例改封實土建安縣侯，食邑千戶，官至侍中、丹陽尹、左衛將軍。公元 511 年卒於任上，諡曰"敏"。

要說明的是，民國時期朱希祖先生曾見到一紙拓本，近長方形，楷書，文為："梁故侍中左衛將軍建安敏侯蕭公墓誌"。從其內看，似拓自蕭正立墓誌蓋。這件拓本還被當作重要六朝藝術品收錄《六朝藝術》等著錄中。然而上個世紀以來南京及其周邊地區先後出土東晉、南朝墓誌 40 余方，這些墓誌皆不設誌蓋，南方誌蓋的流行要到唐代以後，因此這紙拓片很可能是源於坊間偽刻。

兩件神道石柱相距17米，東距辟邪110米。柱身風化嚴重，上下粗細不一，柱頭圓蓋及小辟邪均已無存，分別刻直棱紋和束竹紋。柱額長方形，文正書四行，多漫漶不清，僅南石柱殘存"建安"二字依稀可辨。然據清光緒《江寧府誌》記載："按石柱凡二，左右文同，順逆讀"，題："梁故侍中左衛將軍建安敏侯之神道"。柱額下刻有繩辮紋和雙螭紋。柱身下段原埋土中，已風化剝蝕變細併有裂縫，整修時提升加固，以鐵條箍住柱身。南石柱高3.45米，柱圍1.74米，柱錶飾23道束竹紋。北石柱高3.44米，柱圍1.84米，柱錶飾20道束竹紋。

圖片攝影：劉錚揚

　　蕭正立墓東向偏南，已平，墓前石刻現存 2 種 4 件，南北相向。石辟邪 2，南雌北雄，相距 16 米。南辟邪長 2.20 米，高 1.95 米，右翼及胸部有裂紋，頭後部殘。北辟邪長 2.15 米，高 2 米，頭部剝蝕嚴重，舌、尾殘。二獸造型頭小身長，體態豐腴矯駿，翼、脊及前胸均刻有一道凹溝，顯得線條突出，體勢雄渾。二獸腹以下部分原埋入土中，1964 年整修時清出並升高。

　　神道石柱二，相距 17 米，東距辟邪 110 米。柱頂蓋與小石獸均已無存。南石柱高 3.45 米、圍 1.74 米，柱錶作 23 道瓦楞紋；北柱高 3.44 米、圍 1.84 米，柱錶作 20 道瓦楞紋。柱額呈矩形，文正書四行，多已漫漶不清，僅南石柱"建安"二字尚依稀可辨。據清光緒《江寧府誌》載："按石柱凡二，左右文同，順逆讀"，題："梁故侍中左衛將軍建安敏侯之神道"。柱額下均刻有雙螭紋，下段原埋土中，已風化剝蝕變細并有裂縫，整修時提升加固。

南朝故事之四 · 不得善終的南陳

南陳

公元 557 年 – 公元 589 年

共 32 年，歷 5 任皇帝，建都建康

序號	皇帝	在位年數	在位時間	備註
1 武帝	陳霸先	2	557-559	病逝
2 文帝	陳蒨	7	559-566	病逝
3 廢帝（臨海王）	陳伯宗	2	566-568	被廢
4 宣帝	陳頊	14	568-582	病逝
5 后主	陳叔寶	7	582-589	被擄至隋都長安

清代學者、詩人袁枚有詩寫道：

> 古來萬事風輪走，
>
> 除出虛空無不朽，
>
> 忽逢攔路兩麒麟，
>
> 欲訴前朝尚張口。

這首詩，寫的是陳朝開國皇帝陳武帝陳霸先的陵墓前石獸。

歷史總是驚人的相似。

"侯景之亂"發生後，南梁各種日積月纍的矛盾完全爆發，出生貧寒的陳霸先則憑借軍功迅速崛起，這和劉裕是不是很像？和蕭道成一樣是不是都是亂世英雄？

南梁末年，侯景之亂後，南梁分崩離析，西魏趁機奪取西蜀和江漢，北齊也奪取了江北，公元 554 年九月，梁元帝蕭繹被西魏所殺。陳

霸先與王僧辯迎梁元帝第九子蕭方智至建康，立為梁王。557年十月辛未（11月12日），蕭方智禪位與陳霸先，南梁被南陳取代。陳霸先封蕭方智為江陰王，公元558年5月5日，陳武帝陳霸先派人殺死梁敬帝，並追諡曰敬帝。

陳朝是中國歷史上唯一一個以皇帝姓氏作為國號的王朝。陳霸先被梁敬帝蕭方智封為陳公、陳王，加之陳霸先號稱是潁川陳氏之後，春秋陳國之裔，所以立國後建國號為“陳”。從公元577年陳霸先取代南梁建立南陳，到公元589年陳後主被隋文帝所派的隋軍俘虜，共傳五帝，歷經三十二年。

可惜陳霸先是個短命鬼，只當了不到三年皇帝就一命嗚呼，公元559年六月，陳霸先病逝，時年57歲。諡號武皇帝，廟號高祖，葬於萬安陵。遺詔自己的侄子陳蒨（qiàn）即位，是為陳文帝。

為什麼不立自己兒子呢？原來，陳霸先唯一的兒子陳昌那時作為質子被扣留在北周，而國不可一日無君，所以陳霸先在彌留之際只好退而求其次——無奈傳位給自己的侄子陳蒨。

後來，北周放回陳昌，用意險惡，就是要南陳宮鬥內亂，果然，陳昌在回歸途中，自恃是曾經的太子，不識時務地寫信要求陳文帝讓位，陳蒨氣急敗壞，左右為難，其心腹大將侯安都自告奮勇地獻上一計—名義上去迎接陳昌，趁機將其推入長江淹死，對外則宣稱“陳昌在江中因船壞溺死”，此舉也暫時穩住了南陳建國之初動蕩不安的局勢。

陳文帝是最早知名的同性戀皇帝，男寵韓子高是歷史上唯一的“男皇后”。只不過陳文帝繼位後大臣們堅決反對立韓子高為后，韓子高最終也沒能當上男寵封后的第一人。事實上，歷史上有斷袖之癖的帝王不止陳文帝一人，最有名的當屬漢哀帝和董賢的故事，董賢長相美過六宮粉黛，漢哀帝見到後甚是喜歡，從此命董賢為貼身侍衛，形影不離，夜晚都是同塌而眠。"斷袖"的典故也正是出於此，因為漢哀帝早起不願吵醒壓著自己袖子安睡的董賢拿出匕首割斷了自己的衣袖，自此世人也將男同性戀者稱作有斷袖之癖。漢代劉邦以後，皇帝們似乎都有雙性戀現象，歷朝歷代的皇帝都有男寵。

　　陳文帝起自艱難，知曉百姓疾苦，便貫徹休養生息的策略，治國一律從儉。在位時期，勵精圖治，曾平湘州王琳、臨川周迪、豫章熊曇朗、東陽留異、建安陳寶應之亂，又整頓吏治，注重農桑，興修水利，使江南經濟得到一定的恢復。當時陳朝政治清明，百姓富裕，國勢比較強盛，史稱"天嘉之治"

　　公元 566 年，陳蒨患病，同年逝世，在位七年，終年 44 歲。諡號文皇帝，廟號世祖，葬於永寧陵（今南京市棲霞區甘家巷新合村獅子沖田野中），年僅 15 歲的皇太子陳伯宗繼位。由於新皇帝年幼，南陳國事都掌握在其叔父——安城王陳頊（xū）手中。陳頊是陳蒨的弟弟，兩年後，公元 568 年 11 月，陳頊將陳伯宗廢為臨海王，入繼皇位。陳伯宗被廢後，出居別第，後世稱其為廢帝。

　　歷史上著名的陳後主陳叔寶，是陳頊的嫡長子，為皇后柳敬言所生，柳敬言的外祖父是梁武帝蕭衍。陳宣帝的次子、陳叔寶的弟弟陳叔陵一直有篡位之心，並試圖謀劃刺殺陳叔寶。陳頊患病時，太子陳叔寶與始興王陳叔陵、長沙王陳叔堅兄弟三人一同入宮侍疾。到陳頊遺體入殮時，陳叔寶俯伏痛哭，陳叔陵乘機抽出切藥刀向太子砍去，砍中了陳叔寶的頸項，陳叔寶昏倒在地。陳叔寶生母柳皇后趕來救護，也被陳叔陵砍了數下，陳叔寶的奶媽吳氏從後面扯住陳叔陵的胳膊，陳叔寶才得到時機爬了起來。陳叔陵自知不能成功，殺死妻妾，准備出逃隋朝，被大將蕭摩訶追斬。

公元582年正月，陳叔寶即位，即陳後主，立寵妃張麗華為皇貴妃。張貴妃原本只是一位宮女，陳後主一見鐘情，視為至寶，臨朝之際，百官奏事，都讓張麗華坐於膝上或將其抱在懷裡，同決天下大事，對她言聽計從。皇后沈婺華出身高貴，性情端靜，為人正直，卻不受陳後主喜愛，孔貴嬪和張麗華等結成同盟一起詆毀沈皇后的養子陳胤，廢太子，改立張麗華的大兒子陳淵為太子，陳後主甚至想廢黜沈婺華，改立張麗華為皇后，後因隋滅陳之戰而不成。

公元584年，陳叔寶在皇宮光昭殿前修建臨春、結綺、望仙三棟樓閣。樓閣各高數10丈，連延數10間，窗戶、壁帶、懸楣、欄桿等都是用沈木和檀木制成，並用黃金、玉石或者珍珠、翡翠加以裝飾，樓閣門窗均外掛珠簾，室內有寶床寶帳，極盡奢華，宛如人間仙境。穿戴玩賞的東西瑰奇精美，近古以來所未見。每當微風吹來，沈木、檀木香飄數里。閣下堆石成山，引水為池並雜種奇花異草。陳後主手下的宰相江總、尚書孔範等，都是一夥腐朽的文人。陳後主和寵妃經常在宮裡舉行酒宴，宴會的時候，讓他們一起參加。大家通宵達旦地喝酒賦詩，你唱他和，還把他們的詩配上曲子，挑選了一千多個宮女，為他們演唱。

陳叔寶熱衷於詩文，因此在他周圍聚集了一批文人騷客，以官拜尚書令的"好學，能屬文，於七言、五言尤善"的江總為首。他們這些朝廷命官，不理政治，天天與陳叔寶一起飲酒做詩聽曲。

《玉樹後庭花》 陳後主作

麗宇芳林對高閣，新裝艷質本傾城；

映戶凝嬌乍不進，出帷含態笑相迎。

妖姬臉似花含露，玉樹流光照後庭；

花開花落不長久，落紅滿地歸寂中！

"玉樹後庭花，花開不復久"成為有名的亡國之音。君臣酣歌，連夕達旦，並以此為常。所有軍國政事，皆置不問。

唐代著名詩人李商隱曾寫過一首《隋宮》：

紫泉宮殿鎖煙霞，欲取蕪城作帝家。

玉璽不緣歸日角，錦帆應是到天涯。

於今腐草無螢火，終古垂楊有暮鴉。

地下若逢陳後主，豈宜重問後庭花。

釋文：

長安的殿閣千門閉閉，空自籠罩著一片煙霞，又想在繁麗的江都，把宮苑修建得更加豪華。

若不是皇帝的玉印歸到了李家；隋煬帝的錦帆或許會遊遍天涯。

當年放螢的場所只剩下腐草，螢火早就斷絕了根芽；多少年來隋堤寂寞淒冷，兩邊的垂楊棲息著歸巢烏鴉。

他日若是在地下與陳後主重逢，難道能再去賞一曲《後庭花》？

此詩取材於前朝亡國故事，以詩的語言，批判亡國之君，曉喻晚唐皇上，立意高遠。篇中以實詞撐住全詩，以虛詞斡旋其間，取得了既整飭工嚴又流動活潑的藝術效果。

杜牧《泊秦淮》中最著名的詩句"商女不知亡國恨，隔江猶唱後庭花。"寫的就是陳後主的《玉樹後庭花》。

陳後主就這樣過了五年的荒唐生活，由此也獲得了遺臭萬年的亡國君主頭牌。這時候，北方的隋朝漸漸強大起來，決心滅掉南方的陳朝。雄才大略的隋文帝楊堅，在先後解決北方突厥之患和吞併西梁之後，開始謀劃大規模渡江作戰——意在攻滅南陳，一統天下。

公元 588 年，經過數年准備，隋文帝命晉王楊廣為尚書令統籌各路兵馬，率五十多萬大軍進行南徵。水軍從永安出發，乘幾千艘黃龍大船沿著長江東下，滿江都是旌旗，戰士的盔甲在陽光下閃閃發光。南陳的江防守兵看了，都嚇得呆了，哪裡還有抵抗的勇氣。此時陳後主正跟寵妃、文人們醉得七顛八倒，他收到警報，連拆都沒有拆，就往床下一丟了事。公元 589 年正月，賀若弼的人馬從廣陵渡江，攻克京口；韓擒虎的人馬從橫江渡江到採石，兩路隋軍逼近建康。

到了這個火燒眉毛的時候，陳後主才有些驚醒過來。城里的陳軍還有十幾萬人，但是陳後主手下的寵臣江總、孔範一夥都不懂得怎麼指揮，陳後主急得哭哭啼啼，手足無措。隋軍順利地攻進建康城，陳軍將士被俘的被俘，投降的投降。隋軍打進皇宮，到處找不到陳後主，後來，捉住了幾個太監，才知道陳後主逃到後殿投井了。

隋軍兵士找到後殿，果然有一口井，往下一望，是個枯井，隱約看到井裡有人，就高聲呼喊，井裡沒人答應，兵士們威嚇著叫喊說："再不回答，我們要扔石頭了。"說著，真的拿起一塊大石頭放在井口，裝出要扔的樣子。井裡的陳後主嚇得尖叫了起來，兵士把繩索丟到井裡，才把陳後主和兩個寵妃拉了上來。

南朝的最後一個朝代陳朝滅亡了。中國自從公元３１６年西晉滅亡起，經過二百七十多年的分裂局面，重新獲得了統一。歷史再次向我們證明，偏安一隅的政權沒有哪一個能逃脫被滅亡的命運。

#22 陳武帝陳霸先萬安陵石刻

1936 年版《建康兰陵六朝陵墓图考》陳霸先萬安陵 (ling)

一說為齊梁某王墓

圖片攝影：朱偰

南獸，長2.72、高2.28米，頸部斷裂，胸部碎裂，風化嚴重。

圖片攝影：朱偊

豎立著 "萬安陵" 全國文保碑的陳霸先陵墓石刻，坐落在江寧區高橋門外上坊鄉石馬沖的一處社區公園內。今存天祿、麒麟各一，造型奇特，均雄性。北石獸較完整，似天祿，長2.60米、高2.57米，南獸似麒麟，長2.72、高2.28米，頸部斷裂，胸部碎裂，風化嚴重，頷須拂胸，舌不下垂，體形較大，造型樸實、線條簡潔。1964年整修、提升並加固。據《建康實錄》載，萬安陵原有華表，早佚。

陳霸先於公元 559 年 6 月去世，享年 57 歲，同年八月，謚曰武皇帝，廟號高祖，葬於萬安陵。萬安陵在陳朝滅亡之後便被仇家掘毀。據《北史·孝行傳》記載：公元 589 年，隋兵滅陳，政敵王僧辯之子王頒糾集其父舊部千余人，夜掘萬安陵，並剖棺焚屍，取骨灰投水而飲之，以報殺父之仇，萬安陵遭到毀滅性破壞。這是當時轟動一時的大事，清代著名學者陳文述詠《陳武帝萬安陵》詩寫道："當年僧辯平侯景，太室銘刻定不祧。立長有心圖卻敵，背盟何意出同僚。本容方智生南國，終遣蕭莊死北朝。無復萬安陵寢在，空余石馬勢騰驍。"一代梟雄陳霸先雖在復雜的政治鬥爭中登上帝座，但死後難免遭到仇敵之子的毀陵焚屍，空余"石馬"（即石麒麟）守護荒冢。

南獸似麒麟，長2.72、高2.28米，頸部斷裂，胸部碎裂，風化嚴重。

二石獸均無角，頭有鬣，雙翼，又類辟邪。

圖片攝影：龐輝

從現存發現的此處陵墓來看，此墓非常簡樸，石刻不是帝陵應具的天祿、麒麟，而是造型較為粗放的辟邪，因為這里離梁建安敏侯蕭正立（梁武帝蕭衍六弟蕭宏的兒子）的墓不遠，很有可能葬有蕭宏的另一個兒子。

陳霸先，人如其名，霸氣到直接用自己的姓作為國號。然而它所創立的陳朝卻沒能霸氣的開疆拓土，也未能霸氣的國祚永延。作為賢明君主，死後卻陵寢被毀、遺骨被焚，幸而這兩件石刻作為見證者保存了下來。

圖片攝影 ：龐輝

#23 獅子沖南朝大墓石刻

原說為陳文帝陳蒨永寧陵　一說為宋文帝劉義隆長寧陵
2013 年後推測為蕭統墓　　　　　　　　　　　　圖片攝影：劉錚揚

現存雙獸，東獸雙角稱天祿，西獸獨角為麒麟，兩獸體態修長，昂首闊步，體側刻雙翼，有卷雲紋，是現存南朝陵墓石獸中的精品。二者分距東西，相距 26 米，天祿已殘，麒麟長 3.1 米，胸寬 1.45 米，高 2.85 米。

圖片攝影　劉錚揚

　　在南朝眾多的陵墓中，沒有一處比位於江蘇省南京市棲霞街道甘家巷獅子沖的南朝大墓有著這麼多的懸疑，沒有一處陵墓像它一樣充滿著故事。其陵前雙角的天祿、獨角的麒麟石刻被認為是南京陵寢石獸中最為精美的，中國學界對墓主有兩說，一為宋文帝長寧陵，二為陳文帝永寧陵。1930年代，歷史學家朱希祖排除長寧陵之說。1988年時，中國文物界採用朱希祖觀點，以永寧陵石刻之名，列入南京南朝陵墓石刻之一，成為全國重點文物保護單位。

2012 年初，南京市政府要求相關部門著手編制南京南朝陵墓石刻總體保護規劃，提出在永寧陵石刻所在的獅子沖編制南朝陵墓石刻遺址公園的規劃。11月上旬，南京市博物館考古隊對永寧陵石刻建設控制地帶內進行考古勘探，在石刻西北 350 米處，發現兩處墓葬。月底，向上級部門申報進行考古發掘，獲得國家文物局的發掘證照。2013 年 1 月至 6 月，南京市博物館考古部（南京市考古研究所）正式進行考古發掘。中國考古界一直有不主動發掘帝陵的傳統，7 月，應國家文物局要求，暫停發掘的兩座墓葬並進行保護性回填。

位於甘家巷獅子沖的有兩座南朝皇家陵墓，距兩座墓葬三百余米處，留存有兩座石像生，分別為石天祿、麒麟各一，二者分距東西，相距 26 米，天祿已殘，麒麟長 3.1 米，胸寬 1.45 米，高 2.85 米。按南朝陵寢制度，此類石像生應屬帝陵。考古工作者確認，這兩座大墓，就是石刻"守衛"的墓葬。在墓中，考古人員發現了帝陵級別陵墓特有的第二重石門結構。

考古研究所提供的資料顯示，　兩座石門楣中M1（第一個發掘墓穴）出土的第二重石門楣高1.2米、寬1.82米、厚0.28米；M2（第二個發掘墓穴）出土的第二重石門楣高1.04米、寬1.8米、厚0.12-0.28米。據出土資料（磚面刻劃"中大通弍年"、"普通七年"），兩座墓主推斷為昭明太子蕭統及其生母丁令光，而非陳文帝永寧陵。

昭明太子蕭統是梁武帝蕭衍的太子，531年四月初六，蕭統去世，謚號昭明。551年，他的孫子豫章王蕭棟即位，追尊祖父為昭明皇帝。廟號高宗，陵墓號安陵。

至此業內普遍認為，梁武帝蕭衍之子蕭統死於公元531年。因此，獅子沖南朝陵墓墓主極有可能為梁昭明太子蕭統及其母丁貴嬪。2015年，六朝考古學者、南京師範大學教授王誌高接受報社採訪時說，永寧陵在棲霞區靈山地區。歷代方誌記載則顯示，永寧陵應該在今靈山以南、陽山以北的區域。

#24 徐 家 村 失 名 墓

墓主失考，僅存一個神道石柱。 圖片攝影：劉錚揚

　　徐家村失名墓石刻位於燕子磯鎮徐家村（現為金陵石化公司化工一廠）。現在工廠早已拆除，一片廢墟中，僅存一件神道石柱，石柱高四米余，在現存的南朝墓錶中體量巨大。柱頭圓蓋和小辟邪已失，柱身飾24道瓜棱紋，上端有一寬1.1米、高0.8米之長方形柱額，刻文剝落無存，柱額下飾有一圈繩辮紋和一圈交龍紋，柱座上圓下方，上為雙螭，下為方形基座，基座四面紋飾已漶失，高0.4米、直徑1.6米。碑額下方托舉力士像、繩紋和交龍紋均清晰可見，柱礎為環狀雙螭座，較為典型的梁代墓錶風格。礎有裂紋，原埋入土中。1978年4月，由市文管會將其提升，從石刻形制分析，應為南朝陵墓石刻，1988年，被列為全國重點文物保護單位。

石柱高四米余，在現存的南朝墓錶中體量巨大。柱頭圓蓋和小辟邪已失，柱身飾24道瓜棱紋，上端有一寬1.1米、高0.8米之長方形柱額，刻文剝落無存，柱額下飾有一圈繩瓣紋和一圈交龍紋，柱座上圓下方，上為雙螭，下為方形基座，基座四面紋飾已滅失，高0.4米、直徑1.6米，礎有裂紋，原埋入土中。

圖片攝影 劉錚揚

　　石柱文字已經漫滅，無法確認墓主，有一說此繫梁永陽昭王蕭敷墓，然而上海博物館收藏的蕭敷墓誌宋拓本表明，蕭敷墓早在宋以前即遭破壞，已經很難通過墓葬的發掘進行考證。不過笆鬥山是高等級南朝墓葬聚集地之一，或許以後有可能發現其他墓葬，從而揭開無名石刻之謎。

#25 侯村失名墓石刻

可能為劉宋彭城王劉義康墓侯　已建有玻璃亭保護　圖片攝影：劉錚揚

石柱臨近路邊，高僅 2.73 米，柱頭圓盤已散佚，石額尚存，但文字剝落殆盡，柱身刻瓦楞紋 20 道。

侯村失考墓石刻位於江寧上坊侯焦路西側。現存辟邪一對和神道石柱一件，為南京地區現存南朝陵墓石刻中形體最小的一組，已建有玻璃亭保護。

石柱臨近路邊，高僅 2.73 米，體型很小，雕刻簡樸，柱頭圓盤已散佚，石額尚存，但文字剝落殆盡，柱身刻瓦楞紋 20 道。辟邪昂首張口，舌不外伸，頭部無角，尾巴杵地。北辟邪較完整，長 1.6 米，高 1.38 米，體圍 1.32 米，紋飾雕刻簡單，隱約可見雙翼痕跡。南辟邪已破損，頭部、尾巴部分缺失，雙翼翅翎已不可見，殘長 1.4 米，高 1.33 米，體圍 1.28 米。

學者認為，侯村失考墓的墓主應該是劉宋彭城王劉義康。劉義康為宋武帝劉裕第四子，公元445年，劉義康與劉裕第三子劉義隆爭奪皇位失敗，劉義隆繼位為宋文帝，劉義康被廢為庶人，並於六年後賜死於江西安福。劉宋孝武帝大明四年，因劉義康之女劉玉秀請求，將劉義康靈柩遷葬建康（南京）青龍山舊塋，青龍山因此得名彭城山，《建康實錄》《景定建康誌》等古誌中均有提及彭城山附近彭城橋、彭城驛、彭城庵等地名，現今已無從考證。

石辟邪體型很小，雕刻簡樸，是現存南朝陵墓神道石獸中最小的一對。辟邪昂首張口，舌不外伸，頭部無角，尾巴杵地。北辟邪較完整，長1.6米，高1.38米，體圍1.32米，紋飾雕刻簡單，隱約可見雙翼痕跡。南辟邪已破損，頭部、尾巴部分缺失，雙翼翅翎已不可見，殘長1.4米，高1.33米，體圍1.28米。
圖片攝影：龐輝

　　劉義康按照侯禮下葬，下葬時場面冷清，墓葬地因此稱為侯村，而侯村所在位置正接近劉宋皇室的祖塋，此失考墓石刻形較小，兩尊辟邪和一根石柱體型極小，也與劉義康"侯禮"下葬規格相契合。

　　但是大體上多數觀點認為該陵墓為南朝梁代墓葬，理由之一是此處石刻離蕭正立墓很近，而且形象上逼近梁代陵墓。

#26 獅子壩村失考墓石刻

圖片攝影：劉錚揚

石獸形狀與蕭景墓石柱柱頂小辟邪類同。身長1.5米，寬1米，四腳殘缺，其他保存尚好。于2016年獅子壩石刻失竊。

　　獅子壩村失名墓石刻是位於馬群鎮獅子壩村的墓石刻。該石刻為近年新發現，據梁白泉先生《南京的六朝石刻》一書記錄，該石刻是1982年文物普查時發現，當時南京市文物部門擬運至朝天宮，被當地村民以風水為由拒絕。石刻位於馬群鎮獅子壩村旁，北距滬寧高速公路約500米，墓主失考。現存石辟邪長1.54米，殘高1米，腹圍約1.3米，四足已殘，因風化剝蝕，身上紋飾全無，但兩翼依稀可辨。石辟邪被人為移動過，頭西向，放置在一個六角形的平臺內。在距石辟邪南500米處有一座小山，如果石辟邪的朝向未變動過的話，墓地當在此山。

由於獅子壩村 2015 年左右開始拆遷，獅子壩村辟邪"體重"僅有 1 噸多，和其他數噸的大型辟邪相比，運送起來更方便，導致 2016 年該石獸被人盜走，後被警方追回，未放回原地。這只石辟邪一直被認為是流散文物而未列入南朝陵墓神道石刻之中，因而未能與其他南朝陵墓石刻一起成為全國重點文物保護單位，僅列為南京市文物保護單位。

據專家推測，石辟邪原始位置南面五百米處有一座名為丁家山的小山，那座南朝失考墓應該就在丁家山上。而從體型上看，獅子壩辟邪形制很小，它守衛的那座南朝石刻墓，不可能是帝陵，埋葬的應該是南朝某位王侯。

#27 方旗廟失名墓石刻

很有可能是蕭繹的帝王墓

圖片攝影：劉錚揚

　　南京現存的南朝陵墓石刻約有二十一處，除"方旗廟失名墓石刻"以外，其余的石刻主要分佈在南京城的東北、東、東南三個方向，"主要集中在三個區域，一個是棲霞甘家巷、十月村附近，一個是江寧麒麟和棲霞馬群附近，一個是江寧上坊和淳化附近，而'方旗廟失名墓石刻'獨處一隅，並不屬於以上區域。"它所坐落的位置，甚至更靠近安徽省馬鞍山市。這兩件石辟邪最早繫 1934 年 9 月朱希祖、朱契父子調查發現，並著錄於次年出版的《六朝陵墓調查報告》一書中，被列入"已發現而（墓主）不可考者"。

兩辟邪東西對立，原相距12米左右，1997年整修後距離為8.7米。其中西辟邪保存完整，但石錶風化嚴重，為雌獸，長2.57米，高2.04，昂首張口，長舌及胸，腹側有雙翼，翼前部為魚鱗紋，一足前邁，尾長及地，東辟邪軀體後半部不存，殘長1.50米，高2.28米，可能是雄獸。

圖片攝影：劉錚揚

　　方旗廟失名墓石刻在今南京南郊江寧區江寧街道（原江寧鎮）南約 2.5 公里寧蕪公路西側的建中村方旗廟農田之中，已無望柱和神道碑，只剩一對辟邪，兩辟邪東西對立，原相距 12 米左右，1997 年整修後距離為 8．7 米。其中西辟邪保存完整，但石錶風化嚴重，為雌獸，長 2．57 米，高 2．04，昂首張口，長舌及胸，腹側有雙翼，翼前部為魚鱗紋，一足前邁，尾長及地，東辟邪軀體後半部不存，殘長 1.50 米，高 2.28 米，可能是雄獸。2007 年 5 月開始，為了配合當地基建，南京市博考古隊對兩只辟邪周邊地區進行了有史以來最大規模的一次考古勘探。其目的之一就是要揭開東辟邪遺失軀幹之謎。勘探中，考古隊員手持洛陽鏟站成一排一點點進行鑽探。功夫不負有心人，終於在附近地下數米深的地方，探到了堅硬的石頭，經取樣，它和石辟邪是同一種石質，而且大小和遺失的後半部分相當。1988 年，它們與南京、丹陽、句容三地其他南朝陵墓神道石刻一起被列為全國重點文物保護單位。

　　文物資料上介紹，西辟邪為雌獸，東辟邪為雄獸，兩者尺寸差不多，完整的西辟邪身長 2.57 米，高 2.04 米，體圍 2.58 米。

　　方旗廟的這兩只辟邪，與江寧區侯村失名墓辟邪、梁建安敏侯蕭正立墓辟邪非常相似，死後能享受墓前設置辟邪的人，肯定是南朝時期一位極其顯赫的人物。那麼，這座南朝陵墓的墓主究竟是誰？在石辟邪附近的山崗上，有一座南朝皇家陵墓。在這座墓葬周圍，還有蕭繹的生母文宣阮太后（名令嬴）陵墓，也就是歷史上有名的"蕭太后"墓。

綜合各種文獻，方旗廟失名墓可能是一處帝陵，墓主是梁元帝蕭繹。

蕭繹當年建都江陵，被西魏圍城，身死國滅，最初葬在江陵津陽門外。公元560年7月，也是南陳建國6年後，陳文帝陳蒨下詔，將梁元帝遷葬於江寧"舊塋"，"宜即安厝，車旗禮章，悉用梁典，依魏葬漢獻帝故事"。這個"江寧舊塋"是指梁元帝的生母阮文宣太后的葬地。據《梁書‧後妃傳》記載，阮太后死後葬於江寧"通望山"。在南朝，皇帝死後與母親葬在一起，是屢見不鮮的現象，合乎情理。陳文帝把這個前朝亡國之君從長江上游江陵遷葬到南京，也是馬馬虎虎埋葬，沒有心思和情緒給他規格和禮俗，因此僅僅安放了宗室王侯墓的無角辟邪也無可厚非。

方旗廟失名墓辟邪制作顯得較為粗糙，西辟邪的後腿看上去好似沒有雕刻完成。這樣看的出，陳文帝也是出於某種政治需要，草草安葬了前朝皇帝。

南京的南朝陵墓石刻雖然多，但屬於帝陵的只有宋武帝劉裕初寧陵、陳武帝陳霸先萬安陵、陳文帝陳蒨永寧陵三處，南朝帝陵數目遠遠少於丹陽。從目前各方考證猜測，方旗廟可能給南京又添加了一座帝王墓。

#28 太平村失名墓石刻

太平村失考墓石辟邪

專家推測為昭明太子蕭統墓前神道石刻，藏於南京博物院。

　　太平村失名墓石刻位於燕子磯鎮太平村太子凹，於 1984 年 10 月 26 日出土，後移厝至南京市博物院陳列大廳內，進入大門右手邊的綠地上，有一個放置各種散落石刻的區域，一尊中等體形的石辟邪就"落戶"在這裡，顯得格外引人註目。這就是太平村失名墓石刻辟邪。

　　太平村失考墓辟邪體型明顯較小，頭部略殘，尾巴也早就散失，通長 1.75 米、寬 0.5 米、高 1.45 米，其右腿前邁，腹部裝飾著雙翼，渾身本來佈滿紋飾，但由於風化嚴重，紋飾已無法辨認，身體上可以見到的是一道道裂痕，四足足爪已無法分清，頭上鬣毛也無存。

　　辟邪出土地名為"太子凹"，就有很多學者想當然的認為是南朝梁昭明太子蕭統墓前的石刻。但隨著 2013 年棲霞獅子沖的"陳文帝陳蒨永寧陵"被確認為昭明太子蕭統陵墓，"太平村辟邪"屬蕭統墓的推斷已經被否定。

#29 宋墅失名墓石刻

石柱高 3 米有余，錶面飾 24 道瓦棱紋，頂有寶蓮蓋。
這是在江寧的南朝石刻石柱中唯一有蓋的石柱。

宋墅失考墓石刻位於江寧區侯樵路南段道路東側。宋墅村早已煙消雲散，這裡是一片開闊的在建工地。圍墻擋住大片荒土，雜草瘋長，零星有平整場地的痕跡。場地中有一汪水塘，應該是地勢低窪、水流難以排出而自然形成。失考墓石刻僅剩一顆石柱，置身水中，僅冒出柱頭的圓盤和石額。它已在此孤零零站了一千五百年。

由於常年浸泡在水中對石質不利，2002 年，文物部門對石刻本體實施了擡升保護工程。目前整個石刻用腳手架固定，從上到下都被闆材包裹的嚴嚴實實，僅能觀察到石柱底部，紋飾依稀可見。

石柱高 3 米有余，錶面飾 24 道瓦棱紋，頂有寶蓮蓋，繫江寧地區南朝石刻中唯一有蓋的石柱，蓋上小石獸已佚，蓋邊緣飾蓮花紋，部分殘缺，蓋底風化龜裂，柱額文字已模糊不可辯。從石刻規制和紋飾判斷，墓主人的身份至少是王侯級別。

石柱原有一對，在這根石柱東側 20 余米處，另一根石柱僅存柱礎，柱礎 1.08 米見方，高 0.5 米。

此墓的墓主是誰，在歷史上出現過有趣的、自相矛盾的說法。清光緒年間的《江寧府誌》明確記載，宋墅石刻是梁新渝侯蕭暎墓的神道石刻："梁新渝侯蕭暎墓神道西石柱，正書，在上元宋墅，今存'梁故侍中仁威將軍新渝寬侯神道'十四字……"民國時期的《首都誌》也說蕭暎墓在青龍山西南的黃龍山，與宋墅南朝石刻所在位置相互吻合。然而，著名學者朱希祖、朱偰父子所作的《六朝陵墓調查報告》中卻記載，1935 年，朱偰在棲霞甘家巷董家邊發現一件神道石柱，柱額上有"梁故侍中仁威將軍新渝寬侯之神道"15 字，證明蕭暎墓其實在董家邊。時至今日，這件石柱依然保存在董家邊，柱額上的文字雖然不如 70 多年前清晰，但大致依然可以辨識。同一個人的神道石柱在兩地被發現，個中緣由還有待考證。目前，學界將董家邊石柱，定為蕭暎墓神道陵墓石刻。而宋墅石刻的真正主人，至今還是一個問號。

#30 耿崗失名墓石刻

耿崗石刻像煙頭一樣大小，還沒有旁邊的文物保護石碑大，
只有半截柱頂露出地面，孤孤單單，周圍都是荒地。

　　耿崗失考墓石刻位於南京江寧區望溪路靠近萬安東路路邊田野中，亦稱高廟墩。現存神道石柱一件，柱身大半陷入土中，僅露出地表 1 米左右。柱頭圓蓋及蓋上小辟邪均不存，柱身刻瓜楞紋 11 道，已漫漶。該石柱於 1956 年 3 月文物普查時，在陳姓住宅東北角墻內發現，鑒定為南朝石刻。

　　這是一座被戲稱為「煙頭」的石柱。首先，它很小，還沒有旁邊的文保碑大，其次，它很矮，只有半截柱頂露出地面；第三，它很孤單，周圍不過是起伏的荒地。就像野草一樣，無人關註。據當地村民介紹，過去其旁還有一柱，但現已無法找到。

#31 張 庫 村 失 名 墓 石 刻

原存石柱基座兩個，相距 11.15 米，是 1997 年 5 月南京博物館
考古工作者在調查蕭宏神道石刻過程中發現的。

　　1997 年，在棲霞堯化鎮仙林農牧場張庫村的農田中，發現兩根南朝神道石柱，在梁臨川靖惠王蕭宏墓神道西側。

　　北距蕭宏墓神道石刻 500 餘米，南距 1997 年發掘的馬群鎮白龍山蕭宏墓亦 500 餘米，其東 500 米處有一座小山，其西緊鄰一口大水塘，過水塘約 500 米左右為一隆起的荒丘，現存石柱 2，相距 11.15 米。北側石柱僅存柱座，雕刻精美，上圓下方。上為雙螭，高 0.3 米，張口銜珠，頭上雙角，有翼，足五爪，抵首交尾，脊部隆突，栩栩如生。下為方形基座，邊長 1.2 米，高 0.36 米。底座之下還有一塊墊基石。柱座中間有一近似正方形的榫孔，南側石柱柱身斷為兩截，橫臥田中。柱身上半截長 0.67 米，下半截長 0.69 米。下半截底部榫頭長 0.28 米，榫頭最粗處寬 0.34 米，最細處寬 0.26 米，柱身上刻隱陷直刳棱紋，離柱身 1.75 米處為柱座。柱座上圓下方，上為雙螭，高 0.32 米，腹部以下殘破，張口銜珠，雙角，有翼，脊部隆突。下為方形基座，邊長 1.17 米，高 0.35 米。

　　據《梁書》載，蕭宏有七子，即正仁，正義，正德，正則，正立，正錶，正信。世子蕭正仁早逝，後有次子正義沿襲王位。據此，專家認爲這一神道石柱有可能是蕭宏次子蕭正義的陵墓神道石刻。該石刻的發現，爲研究六朝喪葬制度提供了新的資料，其神道與蕭宏墓神道相連，比北京明十三陵由一條主神道、多條支神道構成的佈局早 900 年。

#32 蔣王廟失名墓石刻

蔣王廟南齊失考墓石刻現藏於南京六朝博物館
（本藏於南京市朝天宮南京博物館）

请勿触摸

　　2003年，在參加明岐陽王李文忠墓園環境整治時，在李文忠墓園堆放雜物的管理用房內發現一件有翼的南朝神道石獸。

　　石獸長約1.65米，殘高0.80米，其尾部與四肢及頭部下頜以上部位全部缺失，通體風化極甚，胸部鼓凸，隱約可見向兩側伸展的卷翎紋，短翼，翼膊可見陰刻羽紋。其身形和尾部輪廓與爛石弄失考墓石刻極其相似，應為前蹲後坐之造型，當屬王侯墓前獅型石獸。因文獻記載最早的發現地點在李文忠墓園，位於蔣王廟地區，因此稱為蔣王廟失考墓石刻。後藏於南京市博物館，現藏於六朝博物館。

　　蔣王廟南朝石刻的造型和風格與丹陽爛石弄南齊失考墓石刻有很多共性，有人推斷為南齊廢帝海陵王蕭昭文的。因海陵王蕭昭文墓誌已佚，蔣王廟石刻具體出土地點或者原位置已無法探明，因此考此石刻原屬海陵王蕭昭文墓僅繫推斷。然蔣王廟失考墓石刻為南齊陵墓石刻遺存當屬確鑿無疑。

#33 後 村 失 名 墓 石 刻

現龜趺的頭部和前二足均殘，殘長 2.00 米，寬 1.30 米，高 0.66 米；
龜趺座背部正中有一長方形的榫槽，長 0.55 米，寬 0.31 米，深 0.22 米。

　　1997 年在江寧區湯山鎮金絲崗寧杭公路北側的後村（麒麟鎮晨光村）發現「後村失考墓石刻」，原在農田中，現移置於打谷場一角，緊鄰滬寧高速。這一「失考墓石刻」其實就是一個龜趺座。在南朝陵墓石刻中，有龜趺座的石碑是其中一個重要組成部分。時代流轉，一千多年後，後村失考墓石刻只剩下了一個龜趺座，其他如辟邪、石柱都已經無存。

　　據了解，這個龜趺座是當地農民 1997 年在農田改造中發現的，其頭部和前面兩足均有嚴重殘缺。龜趺座殘長約 2 米，寬約 1.3 米，高 0.66 米，背部有一個長方形的榫孔，是為了插石碑專門設置的。據專家考證，這個龜趺座的造型，與南京地區現存的南朝陵墓神道龜趺相似，其質地也是石灰巖，因此可認定為南朝龜趺。

　　後村龜趺座所在的南朝墓葬目前也被定為「失考」，龜趺座東南、東北方向不遠處均有小山，這座失考的南朝墓葬應該就在其中一座山上。

附

陵口陵墓石刻

圖片攝影：劉錚揚

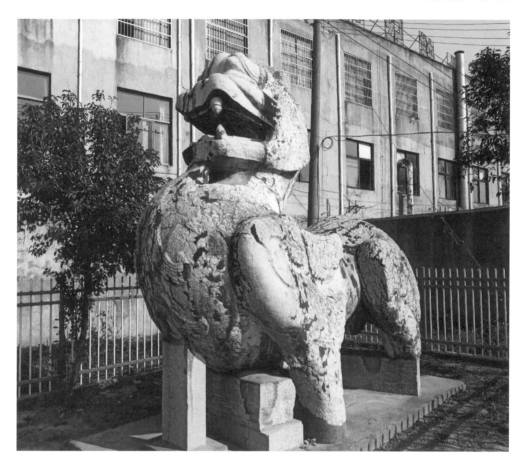

　　江蘇丹陽市陵口鎮是個鞋城，到處都是皮鞋廠。

　　蕭梁河，古稱蕭港，蕭氏祭祖拜陵喜歡走水路，因此齊梁二朝專為帝王陵區人工開鑿了禦用水道。齊梁二朝的帝陵散佈在蕭梁河兩側。

　　齊梁時，王子公卿謁陵，自都城建康秦淮河沿破崗瀆東下，過二十四埭，入南蘭陵蕭港至各陵，石獸守護在蕭港入口處，成為陵墓區入口的標記。1956年因京杭運河拓寬，南臨運河的麒麟，沿蕭梁河岸平行北移450米，安放在混凝土基座上。1977年疏浚蕭梁河時，麒麟又西遷70米。

　　陵口，顧名思義，陵墓入口，是丹陽南朝石刻的最南端，距離水經山失名墓大約16公里，現存石刻2件，隔蕭梁河而立，相距約160米。"天祿"、"麒麟"各一尊，是丹陽南朝陵墓石刻中體量最大者，長、高度均達到4米，寬約2米，總重量約為30噸。

陵口石刻為1對石獸，雄踞陵口鎮東500米蕭梁河東西兩岸。東為天祿，雙角，身
長4米，殘高3.6米，頸高2米，體圍3.9米；西為麒麟，獨角，身長3.95米，殘
高2.9米，頸高1.7米，體圍3.6米。均為公獸。石獸精雕細刻，紋飾華美，是現
存南朝石刻中最大的1對。

圖片攝影：劉錚揚

《丹陽誌》記載："陵口石刻為 1 對石獸，雄踞陵口鎮東 500 米蕭梁河東西兩岸。東為天祿，雙角，身長 4 米，殘高 3.6 米，頸高 2 米，體圍 3.9 米；西為麒麟，獨角，身長 3.95 米，殘高 2.9 米，頸高 1.7 米，體圍 3.6 米，均為公獸，石獸精雕細刻，紋飾華美，是現存南朝石刻中最大的 1 對。"

兩座石獸腿部均已殘損，現在用石塊支撐著，頭部也有不同程度殘損，天祿的頭部曾經用石料補修過。從陵口石刻的雕刻風格來看，與齊明帝蕭鸞與安陵石刻的風格很象，高大飽滿，頸部較短，羽翼由四小冀拼成一大翼，腹部復襯以羽翅紋，已經不象之前的一些南朝陵墓石獸那樣鮮明的曲線美的風格，陵口石刻有可能也是齊明帝時期雕刻的。

尾聲

　　至本世紀初，位於南京及鎮江地區、並已確定墓主身份且無爭議的南朝陵墓石刻共發現 16 處，（含陵口石刻為 17 處）它們是：

1：宋武帝劉裕，初寧陵（江蘇南京市江寧區）

2：齊武帝蕭賾，景安陵（江蘇丹陽市）

3：齊景帝蕭道生，修安陵（江蘇丹陽市）

4：梁文帝蕭順之，建陵（江蘇丹陽市）

5：梁武帝蕭衍，修陵（江蘇丹陽市）

6：梁簡文帝蕭綱，莊陵（江蘇丹陽市）

7：梁南康簡王蕭績墓（江蘇句容市）

8：梁桂陽簡王蕭融墓（江蘇南京市棲霞區）

9：梁安成康王蕭秀墓（江蘇南京市棲霞區）

10：梁始興忠武王蕭憺墓（江蘇南京市棲霞區）

11：梁吳平忠侯王蕭景墓（江蘇南京市棲霞區）

12：梁鄱陽忠烈王蕭恢墓（江蘇南京市棲霞區）

13：梁臨川靖惠王蕭宏墓（江蘇南京市棲霞區）

14：梁建安郡王蕭偉墓（江蘇南京市棲霞區）

15：梁新諭寬侯王蕭暎墓（江蘇南京市棲霞區）

16：梁建安敏侯蕭正立墓（江蘇南京市江寧區）

17：陵口石刻（江蘇丹陽市）

因未有確切的證據，以及文獻記載與專家對陵墓主人身份持有不同觀點的陵墓石刻，共9處：

1：丹陽市胡橋鄉獅子灣
疑為齊宣帝蕭承之永安陵或齊高帝蕭道成泰安陵

2：丹陽市胡橋鄉趙家村
疑為齊宣帝蕭承之永安陵或齊高帝蕭道成泰安陵

3：丹陽市建山鄉金王陳村南齊失名墓
疑為齊東昏侯蕭寶卷或和帝蕭寶融恭安陵

4：丹陽市建山鄉爛石壟北南齊失名墓
疑為前廢帝郁林王蕭昭業墓

5：丹陽市建山鄉水經山村南齊失名墓
疑為後廢帝海陵王蕭昭文墓

6：丹陽市荊林鎮三城巷東北
疑為齊明帝蕭鸞興安陵或梁武帝蕭衍祖父蕭道賜

7：南京江寧上坊鄉石馬沖
疑為陳武帝陳霸先萬安陵

8：南京棲霞新合鄉獅子沖
疑為陳文帝陳蒨永寧陵或梁昭明太子蕭統墓

9：南京江寧區江寧鎮方旗廟南朝失名墓
疑為齊豫章文獻王蕭嶷墓

10：蔣王廟失名墓石刻

无法考定的陵墓石刻 8 处：

1：南京燕子磯太平村失名墓

2：南京江寧區侯村失名墓

3：南京棲霞區獅子壩村失名墓

4：南京江寧區宋墅村失名墓

5：南京江寧區耿崗村失名墓

6：南京江寧區徐家村失名墓

7：南京棲霞區張庫村失名墓

8：南京江寧區後村失名墓

現已知 12 座帝王陵墓為：宋武帝劉裕的初寧陵，文帝劉義隆的長寧陵；齊宣帝蕭承之的永安陵；高帝蕭道成的泰安陵，景帝蕭道生的修安陵，武帝蕭賾的景安陵，明帝蕭鸞的興安陵，梁文帝蕭順之的建陵，武帝蕭衍的修陵，簡文帝蕭綱的莊陵；陳武帝陳霸先的萬安陵，文帝陳蒨的永寧陵。此外，還有宗室王侯宋代蕭嶷、梁代蕭融、蕭偉、蕭秀、蕭宏、蕭憺、蕭恢、蕭景、蕭績、蕭暎、蕭正立等人及一些失名墓共 19 處，總計遺存石刻 73 件。

其中：宋武帝劉裕陵前 1 對殘損的石麒麟是南朝石刻早期作品的代表，從中仍可見漢代石獸的古樸遺風。保存完好的石麒麟為齊景帝蕭道生修安陵前的一對。齊明帝蕭鸞興安陵前兩獸雖已殘損，仍富於裝飾意味。陵前列置石刻佈局最為完整的是梁文帝蕭順之的建陵，有石麒麟、方形石礎、神道柱、石龜趺座各一對。丹陽縣爛石壟南朝佚名墓前石獅作蹲坐像，為南朝陵墓石刻中所僅見。蕭宏墓前西側石碑北側有浮雕神怪、羽人、朱雀、青龍等8幅，裝飾手法別具一格。陳文帝陳蒨陵前石麒麟四爪用力翹起，威猛異常。

南朝時期的陵墓石刻，是古代石刻藝術的珍貴遺產，不僅展現了南朝時代的文化、歷史和藝術風貌，也為後世留下了寶貴的歷史信息。這些石刻不僅是歷史的見證，也是藝術的瑰寶，展現了古人的智慧和審美追求。

通過對這些陵墓石刻的研究，我們更加深刻地了解了南朝時期的社會風貌、政治制度、文化特色和藝術水平。這些石刻作品不僅是南朝時期帝王陵墓的裝飾，更是那個時代社會文化的一面鏡子。每一處石刻都承載著歷史的沉澱和文化的傳承，向我們展示了古人的智慧和創造力。

我們應當倍加珍惜、研究和保護這些珍貴的石刻遺產，讓後人能夠繼續領略古代文明的博大精深，感受歷史的厚重，傳承古人的智慧，以此啟迪現代，創造更加美好的未來。

謝辭

　　我出生在中國江蘇武進縣，這里是中國吳文化的發源地，南朝時期的武進縣東城里，因出了齊梁兩朝共 15 位帝王故有"齊梁故里"之稱，歷史上還有蘭陵古墟之稱。

　　公元三世紀到六世紀，中國是一個四分五裂的朝代，統稱為南北朝時期。南朝依次是劉宋、蕭齊、蕭梁、南陳；北朝是北魏、東魏、西魏、北齊、北周。期間，孫吳、東晉、宋、齊、梁、陳相繼在南京建都，史稱"六朝古都"。南朝時期，思想極為活躍，儒學、玄學、佛教、道教甚至引進和吸收羅馬文化，文學、書法、繪畫、雕刻、雕塑名家輩出。然而，時至今日，六朝遺跡幾乎毀棄殆盡，惟有陵墓石刻在风雨中威然仁立，供後人欣賞和研究，因此，撰寫《中國南朝石刻》是我多年的願望。

　　南朝石刻共有 33 處，全部屬於中國政府"全國重點文物保護單位"，其中南京 21 處、丹陽 11 處、句容 1 處。去年六月，夏日酷暑，驕陽似火，我獨自一人來到丹陽蕭衍陵墓石刻所在地。那裡是一片蕭氏帝王陵墓，中午 12 點，烈日烤人，看不到一個人影，唯有兩兩相對的石獸靜靜对視，給我帶來強烈的心靈沖擊，把他們的歷史命運記載下來，是我的使命。為了捕捉最完美的石刻影像，我邀請南京藝術學院專業攝影師劉錚揚先生加盟，又懇請丹陽殷顯春先生提供丹陽 11 處帝王陵墓石刻史料影像，並得到南京博物院、南京六朝博物館等專業機構的大力支持，他們提供了完整的現場資料和權威的釋文，一些已經損毀不復存在的歷史資料，則通過尋找朱光祖和朱偰父子的原始資料，或者在南京大學博物館浩瀚的文史資料中搜尋檢索補充。

　　本書的首席翻譯是美國波特蘭大學博士生陳靜女士，她在中國文化傳播和英譯方面擁有相當的成就，我主編的《世界的大千》一書也由她擔任翻譯審核。我們的編輯兼設計是美國紐約大學出版專業的研究生李豈先生，他的前沿專業知識為本書添加了精彩的修訂和設計。我的許多朋友對本書的出版提供了積極的支持和幫助，專業導遊左娟梅女士在繁忙的工作之余，穿梭於南京城尋找文史資料；徐瑞軍、方慧、羅玉清等不厭其煩地在現場協助，合力完成了拍攝工作。

　　本書以中、英文兩種文字分別出版發行。最早將中國南朝石刻詳細介紹給西方的，是英國藝術史學家安·帕盧丹（Ann Paludan）（1928-2014）。在家族的慷慨支持下，安女士率先在中國研究古代雕塑，並實地考察了多處中國獨特的帝王陵墓雕塑勝跡，Ann Paludan 攝影檔案館由超過 10,000 張幻燈片和版畫組成。南朝石刻距今已有 1600 年的歷史，具備世界文化遺產的特質，本書用詳盡的圖文史料，敘述南朝石刻千年承載的歷史文化，其翔實的史料和圖片釋文，給世界各國人士了解和掌握中國南朝文化提供了寶貴的原始素材，為促進東西方文化交流盡一己之力。

龐輝

2024 年 4 月 6 日於舊金山

Milton Keynes UK
Ingram Content Group UK Ltd.
UKHW051447060624
443693UK00003BB/39